S0-BJS-434

Der Kommunitarismus sei ein sinnvolles Korrektiv liberaler Politiktheorie, wenn auch kein substantielles politisches Programm – so argumentierte Michael Walzer in seinem vielbeachteten Aufsatz über »Die kommunitaristische Kritik am Liberalismus«. Seine ›Max Horkheimer Vorlesungen‹ sind eine Vertiefung dieser Kritik an liberalistischer Theorie und Praxis. Im ersten Kapitel korrigiert Walzer das Bild vom autonomen Individuum, das einzig aufgrund seiner eigenen freien Wahl sich bestimmten Gemeinschaften oder Bewegungen anschließe. Das zweite Kapitel arbeitet heraus, daß rationale, wohlabgewogene Entscheidungen nur einen kleinen Teil des realen politischen Prozesses in Demokratien ausmachen. Soziale Konflikte verschiedener Größenordnungen sind ungleich bestimmendere Realitäten. Im dritten Teil schließlich behandelt Walzer die Rolle der Leidenschaften in der Politik, welche die liberalen Theoretiker gemeinhin herunterspielen, weil sie ins Bild vernünftiger Entscheidungsfindung nicht recht passen wollen. Diese drei Defizite sind in den Augen Walzers dafür verantwortlich, daß liberale Theorie in ihren zeitgenössischen Versionen die realen Situationen und Konfliktfälle ungerechtfertigter Ungleichheit eher ausblendet, als zu ihrer Beseitigung beiträgt.

Michael Walzer lehrt und arbeitet am Institute for Advanced Study in Princeton. Im Fischer Taschenbuch Verlag liegen vor: ›Kritik und Gemeinsinn‹, ›Exodus und Revolution‹, ›Zivile Gesellschaft und amerikanische Demokratie‹, ›Zweifel und Einmischung. Gesellschaftskritik im 20. Jahrhundert‹, ›Sphären der Gerechtigkeit. Ein Plädoyer für Pluralität und Gleichheit‹.

Michael Walzer

Vernunft, Politik und Leidenschaft

Defizite liberaler Theorie

Aus dem Englischen
von Karin Wördemann

Fischer
Taschenbuch
Verlag

Dieses Buch ist der unveränderte Reprint einer älteren Ausgabe.

Erschienen bei Fischer Digital

Printed in Germany
ISBN 978-3-596-30317-5

Originalausgabe
Veröffentlicht im Fischer Taschenbuch Verlag GmbH,
Frankfurt am Main, September 1999

Gesamtherstellung: Clausen & Bosse, Leck
Printed in Germany
ISBN 3-596-14439-6

Inhalt

Einleitung

Vor einigen Jahren schrieb ich einen Aufsatz mit dem Titel »Die kommunitaristische Kritik am Liberalismus«. Darin vertrat ich den Standpunkt, daß der Kommunitarismus nicht als eigenständige Lehre oder als substantielles politisches Programm anzusehen sei, sondern besser als ein Korrektiv zur liberalen Theorie und Praxis verstanden werden solle.[1] Ich hatte ursprünglich vor, in diesen Vorlesungen weitere Überlegungen zu einer solchen »Korrektur« vorzustellen und einige Anregungen zu geben, in welchen Hinsichten der Liberalismus mit einer besseren Soziologie und Sozialpsychologie versehen werden könnte. Das ist auch nach wie vor ein wichtiger Teil meines Vorhabens, und es hat die Wahl meines Gegenstands für die drei Vorlesungen bestimmt. Als erstes möchte ich genauer untersuchen, was ich für eine zentrale Tatsache unseres Lebens in Assoziationen halte: In weiten Teilen ist es nicht das Werk jenes liberalen Helden, des autonomen Individuums, das seine oder ihre Mitgliedschaften frei wählt. Die meisten von uns befinden sich vielmehr schon in Gruppen, und zwar in solchen Gruppen, die wohl die wichtigsten sind, zu denen wir gehören können. In der zweiten Vorlesung werde ich auf ganz ähnliche Art und Weise den Nachweis führen, daß die Deliberationen autonomer Individuen nur einen

[1] »The Communitarian Critique of Liberalism«, in: *Political Theory*, Band 18, Nr. 1/Februar 1990, S. 6–23.

kleinen Teil demokratischer Politik insgesamt ausmachen. Dann werde ich verdeutlichen, daß der soziale Konflikt, ein von den liberalen Theoretikern in den letzten Jahren vernachlässigtes Thema, den größeren Teil ausmacht. Ich werde versuchen, eine Darstellung (oder zumindest eine Liste) derjenigen Aktivitäten zu liefern, die in diesem Teilbereich demokratischer Politik erforderlich sind. In der dritten Vorlesung werde ich Überlegungen zur Rolle der Leidenschaft in unserem politischen Leben anstellen. Ich werde meine Bedenken gegen die liberal verstandene Vernünftigkeit äußern – der ich dessenungeachtet verpflichtet bleibe. Die liberale Vernünftigkeit hilft uns nicht, die Bedeutung der Rolle von Leidenschaften in der Politik zu verstehen oder auf die verschiedenen Arten, wie die Leidenschaft zum Zuge kommt, gestaltend und eingrenzend einzuwirken.

Das ist oder war mein Programm, aber im Laufe der Arbeit an den Vorlesungen mußte ich feststellen, daß mich andere Probleme, die mehr mit sozialer Demokratie zu tun haben als mit dem Kommunitarismus, immer mehr in Anspruch nahmen. Ich hatte den Schwerpunkt auf die drei Ausschlüsse liberaler Theorie – unfreiwillige Assoziation, sozialer Konflikt, leidenschaftliches Engagement – gelegt und gelangte zu der Einsicht, daß deren wichtigste Wirkung darin besteht, den Kampf gegen Ungleichheit schwerer zu machen, als er es sein müßte. Im Hinblick auf diesen Kampf möchte ich deshalb die These vertreten, daß der Liberalismus in seinen heute üblichen Varianten eine unzulängliche Theorie und eine untaugliche politische Praxis ist, und zwar aus drei Gründen. Erstens deshalb, weil die Ungleichheit in den unfreiwilligen Assoziationen, deren Bedeutung von der liberalen Theorie selten anerkannt wird, sozusagen zu Hause ist. Dieselben Assoziationen sind aber gleichzeitig die Hauptprotagonisten multikultureller Politik, die – wenngleich heftig umstritten – eine Form unseres zeitgenössischen Egalitarismus darstellt. Zweitens, weil die von der liberalen Theorie unter dem Namen »Deliberation« favorisierten Arten rationaler Analyse und überlegter Diskussion selbst dann, wenn sie zu egalitären Schlußfolgerungen führen, die eigentliche Erfahrung der Ungleichheit oder den Kampf gegen sie selten erfolgreich angehen. Und drittens, weil man sich den Sozialstrukturen und politischen Ordnungen, von denen die Ungleichheit aufrechterhalten wird, ohne so etwas wie leidenschaftliche Energie, die bei den meisten Liberalen – aus gutem Grund – gemischte Gefühle hervorruft, nicht aktiv widersetzen kann.

So stellt sich heraus, daß die kommunitaristische Korrektur, die zunächst mein Ziel war, auch dazu dient oder dienen kann, einen Liberalismus hervorzubringen, der zwar nicht egalitärer ist als der vorhandene, gängige Liberalismus, der jedoch eine egalitäre Anverwandlung und Verwendung erleichtert. Diese »korrigierte« Version ist soziologisch besser informiert und psychologisch offener. Ich denke, das sind notwendige Eigenschaften eines jeden theoretischen Programms, das imstande sein soll, demokratische Mobilisierung und Solidarität zu erfassen, zu erklären und zu unterstützen. Ich gehe von der Annahme aus – die ich in diesen Vorlesungen allerdings nicht erst verteidigen werde –, daß wir eine Theorie brauchen, die dies leisten kann, und daß es, wenn irgend möglich, eine liberale Theorie sein sollte.

1 Unfreiwillige Assoziation

I

Die Menschen, die ich kenne, bilden ständig Assoziationen. Die Freiheit, sich zu allen erdenklichen Zwecken, mit allen möglichen anderen Menschen nach Belieben zusammenzuschließen, erfreut sich bei ihnen höchster Wertschätzung. Sie haben natürlich recht: Die Vereinigungsfreiheit ist ein zentraler Wert, ein grundlegendes Erfordernis der liberalen Gesellschaft und demokratischen Politik. Es ist jedoch ein Fehler, wenn man diesen Wert verallgemeinert und in der Theorie oder in der Praxis versucht, eine Welt zu schaffen, in der alle Assoziationen freiwillig sind, eine soziale Einheit, die vollständig aus frei gegründeten sozialen Einheiten besteht. Die Idealvorstellung von autonomen Individuen, die ihre Bindungen oder Bindungslosigkeit ohne Einschränkung frei wählen, ist ein Beispiel für schlechten Utopismus. Soziologen haben nie einen Sinn in ihr gesehen, und in der politischen Philosophie und Moralphilosophie sollte sie ebenfalls Skepsis hervorrufen. Keine menschliche Gesellschaft könnte ohne Bindungen eines andersartigen Typus überleben. Aber wie lassen sich Bindungen anderer Art gegenüber Männern und Frauen rechtfertigen, die für sich beanspruchen, frei zu sein? Verlangt Freiheit denn nicht, daß wir all jene Fesseln sprengen, die wir nicht gewählt haben oder jetzt noch selbst wählen? Stellen unfreiwillige Assoziationen, die Gefühle, die sie erzeugen, und die Werte, die sie einimpfen, nicht schon für die Idee einer liberalen Gesellschaft eine Bedrohung dar?

Ich werde die Auffassung vertreten, daß Freiheit nichts dringender braucht als die Möglichkeit, unfreiwillige Bande abzuschütteln, daß jedoch nicht jede tatsächliche Lösung von Bindungen etwas Gutes ist und wir es uns nicht immer leichtmachen müssen. Viele wertvolle Mitgliedschaften werden nicht freiwillig eingegangen, viele bindende Verpflichtungen sind nicht ganz und gar das Ergebnis unserer Zustimmung, viele erfreuliche Gefühle und nützliche Ideen treten in unser Leben, ohne daß sie das Ergebnis unserer Wahl sind. Wir können uns ein solches Menschenleben und die mannigfaltigen, gewöhnlichen Menschenleben, in die es eingefügt ist, als »soziale Konstruktionen« vorstellen, bei denen wir als Individuen ein wenig mitmischen. Wir können uns dieses Leben nicht glaubwürdig als etwas vorstellen, das gänzlich von uns selbst geschaffen wird. Wir schließen uns einer Gruppe an, wir bilden Assoziationen, wir organisieren und werden organisiert – im Rahmen komplexer Zwänge. Diese Zwänge nehmen verschiedene Formen an, von denen zumindest einige durchaus ihren Wert haben und legitim sind. Wir erinnern uns an Rousseaus berühmte Sätze aus dem ersten Kapitel des *Contrat social*: »Der Mensch wird frei geboren, aber überall liegt er in Ketten. [...] Wie ist es zu dieser Entwicklung gekommen? Ich weiß es nicht. Was kann sie rechtmäßig machen? Ich glaube, daß ich dieses Problem lösen kann.«[1] Nun, die eröffnende Aussage ist falsch, wir sind nicht frei geboren.

Und weil wir nicht frei geboren sind, sind wir (was vielleicht offenkundiger ist) auch nicht gleich geboren. Die unfreiwillige Assoziation ist der unmittelbarste Grund für Ungleichheit, denn sie fesselt Menschen an einen bestimmten Platz oder eine Reihe von Plätzen in der sozialen Hierarchie. Die liberale Autonomie tritt mit dem Versprechen auf, sie werde diese Fesseln sprengen, sie werde den Individuen die Wahl ermöglichen oder sie wenig-

[1] Jean-Jacques Rousseau, *Vom Gesellschaftsvertrag*, in: Politische Schriften, Band 1, Paderborn (Schöningh) 1977, S. 61.

stens auf die Plätze streben lassen, die sie begehren – und werde auf diese Weise eine Gesellschaft nicht bloß freier und mobiler, sondern auch annähernd gleicher Männer und Frauen schaffen. Das aber ist ein falsches Versprechen. Die soziale Hierarchie läßt sich nur dann erfolgreich in Frage stellen, wenn wir die Realität unfreiwilliger Assoziation anerkennen und *auf sie einwirken.* Sie zu leugnen ist dumm, und ihre Beseitigung ist unmöglich. Die unfreiwillige Assoziation ist und bleibt ein Grundzug sozialer Existenz, und diejenigen, die sich für Gleichheit einsetzen, sind ebenso unweigerlich ihre Geschöpfe wie diejenigen, die dafür kämpfen, frei zu sein.

II

Es gibt vier Arten unverfügbarer Zwänge, auf die ich näher eingehen möchte. Alle werden bereits sehr früh in unserem Leben errichtet. Sie drängen uns, ja zwingen uns in Assoziationen einer bestimmten Art hinein. Und sie beschränken auch unser Recht auf Austritt, obwohl sie es in einer liberalen Gesellschaft nicht ganz abschaffen können. Die Soziologen haben über die ersten beiden geschrieben, die Philosophen der politischen Theorie und Moraltheorie hatten etwas zu den letzten zwei zu sagen. Ich denke, es wird nützlich sein, den Zwang jeder einzelnen Art für sich zu betrachten.

1. Der erste Zwang ist familialer und sozialer Natur. Wir werden als Mitglieder einer Verwandtschaftsgruppe, einer Nation oder eines Landes und einer sozialen Klasse geboren; und wir werden mit einer Geschlechtszugehörigkeit geboren. Diese vier Elemente des Zwangs haben zusammen einen weitreichenden Einfluß darauf, mit welchen Menschen wir uns für den Rest unseres Lebens zusammenschließen (selbst dann, wenn wir unsere Verwandten nicht ausstehen können, Vaterlandsliebe für Gefühlsduselei halten und niemals ein Bewußtsein der Klassen- oder Geschlechtszugehörigkeit erlangen). Die meisten von uns werden ebenfalls recht früh durch Taufe oder Beschneidung im Säuglingsalter beziehungsweise durch Konfirmation oder Bar-Mizwa im Jugendalter in die eine oder andere Art religiöser Mitgliedschaft eingeführt. Das sind konkrete, unfreiwillige Beitritte, aus denen, wie dem Kind üblicherweise beigebracht wird, Rechte und Pflichten folgen. Aber die elterliche Unterweisung wirkt auch indirekter, vergleichbar der außerhäuslichen religiösen und politischen Sozialisation und vergleichbar der alltäglichen Erfahrung mit der Klassen- und Geschlechtszugehörigkeit – sie schaffen lebensgeschichtliche Voraussetzungen, die ganz bestimmte Assoziierungen im Erwachsenenalter unterstützen, andere jedoch nicht. In den letzten Jahren ist viel über das Versagen der Familie geschrieben worden, in Wahrheit sind aber die meisten Eltern bemerkenswert erfolgreich darin, Kinder hervorzubringen, die ihnen doch sehr gleichen. Manchmal ist unglücklicherweise gerade das ein Zeichen ihres Versagens – wenn beispielsweise Eltern der Unterschicht nicht imstande sind, ihren Kindern den Weg in die anständige Gesellschaft oder Mittelschicht zu ebnen. Die meisten Eltern wollen jedoch keinen Nachwuchs, der allzu weit vom Stamm fällt, sondern Nachwuchs, den sie noch als ihren eigenen betrachten können. In den meisten Fällen gelingt ihnen das auch. Wobei sie nicht ganz auf sich gestellt sind, weil sie von ihrer Umgebung unterstützt werden.

Junge Menschen können ausbrechen, sie können sich aus den Familienbanden und sozialen Verhältnissen befreien, können außerhalb der Konventionen einer geschlechtlich normierten Gesellschaft leben. Dies allerdings nur zu einem Preis, den die meisten von ihnen nicht zu zahlen bereit sind. Deshalb sind die Bindungen der Eltern die bei weitem besten Indikatoren für ihre eigenen, späteren Bindungen, wie die Politikwissenschaftler hinsichtlich der Parteigebundenheit und des Wahlverhaltens schon vor längerer Zeit feststellten. Obwohl die politische Kultur Amerikas der »Unabhängigkeit« einen hohen Wert beimißt, sind Kinder meist bereit, dem Vorbild ihrer Eltern zu folgen. Denn so wie die Wähler der Demokraten oder der Republikaner aller Wahrscheinlichkeit nach Kinder von Eltern sind, die demokratisch oder republikanisch wählen, haben unabhängige Wähler mit hoher Wahrscheinlichkeit Eltern, die unabhängig wählen.[2] Bei der Religionswahl ist zu erwarten, daß sie noch verläßlicher durch die Zugehörigkeit der Eltern zu einer Religionsgemeinschaft vorgegeben ist. Ja, im Falle der Religion ist »Wahl« vermutlich nicht das angebrachte Wort. Die frühen Rituale zur Festigung religiöser Bindung sind bemerkenswert wirksam. Für die Mehrheit der Menschen läßt sich die Religionszugehörigkeit deshalb am besten als ein Erbe beschreiben. Protestantische Praktiken wie die Erwachsenentaufe und die evangelikale Wiedergeburt dienen offenbar dem Zweck, dieses Muster zu durchbrechen, was ihnen auch in einem gewissen Umfang gelingt. Für die Praxis freiwilliger Assoziation sind diese Formen historisch gesehen hilfreich gewesen.[3] Es wäre jedoch interessant zu erfahren, welcher Prozentsatz der wiedergeborenen Christen sowohl spirituell wie physisch Nachkommen ihrer Eltern sind: geboren, um wiedergeboren zu werden.

Die Menschen schließen sich solchen Assoziationen an, die ihre Identität bestätigen, statt sie in Frage zu stellen. Und ihre Identitäten sind fast immer eine Gabe ihrer Eltern und der Freunde ihrer Eltern. Die Individuen können sich auch hiervon losmachen, können sich dem schwierigen Prozeß der Selbstformung unterziehen wie der biblische Abraham, der einer nachbiblischen Legende zufolge die Götzenbilder seines Vaters zertrümmerte. Oder wie John Bunyans Pilger Christian in *Pilgrim's*

[2] Siehe A. Campbell et al., *The American Voter*, New York (Wiley) 1960, S. 147f.

[3] Nach A.D. Lindsay, *The Modern Democratic State*, London (Oxford University Press) 1943, Kapitel III, sind sie auch für die demokratische Politik hilfreich gewesen.

Progress, dem klassischen Text des englischen Protestantismus, der Weib und Kinder verläßt, sich die Ohren zuhält, um ihr Geschrei nicht zu hören, und allein das Ziel seiner Erlösung verfolgt. Sozialer Wandel ist ohne solche Menschen unvorstellbar, aber wenn alle Menschen so wären, wäre die Gesellschaft selbst nicht denkbar. Auch Abraham ermutigte seinen geliebten Sohn Isaak nicht zu einem ähnlichen Rebellentum. Anders als sein Vater war Isaak von Geburt an ein Mitglied in Jehovas Bund – vielleicht weniger bewundernswert, dafür aber unendlich viel zuverlässiger. Bunyan schließlich wurde von seinen Lesern gezwungen, Christians Frau und Kinder mitzunehmen auf dem Weg, der bis zu dieser Fortsetzung von *Pilgrim's Progress* eine stereotype Pilgerreise gewesen war, um sich in die Gemeinschaft der Heiligen zu begeben.[4] Der einzige Bruch mit der elterlichen Welt, den die meisten Eltern bereitwillig unterstützen, ist – zumindest in modernen Gesellschaften – die soziale Mobilität, oder anders gesagt der Aufstieg in der etablierten Hierarchie. Trotzdem sind die meisten Kinder nur mäßig mobil (aufwärts oder abwärts). Die Klassenposition hält sich ebenso wie die politische und religiöse Gebundenheit vielfach über Generationen hinweg durch. Die Ursache dafür ist zum Teil in der Fortdauer äußerer Hindernisse für die soziale Mobilität zu sehen, die wir mit guten Gründen zugunsten der »Chancengleichheit« abgeschafft sehen möchten. Die Strukturen der Unterordnung neigen zwar dazu, sich selbst zu reproduzieren, können aber dennoch in Frage gestellt und verändert werden. Der sozialen Mobilität stehen indes auch innere Hemmnisse entgegen, die mit

[4] Zu Abraham siehe Louis Ginzberg, *The Legends of the Jews*, üb. von Henrietta Szold, Philadelphia (Jewish Publication Society) 1961, I: S. 213f. Zu Bunyans Christian siehe *The Pilgrim's Progress*, New York (New American Library) 1964, S. 19. Die Fortsetzung als »The Second Part« beginnt mit S. 151. [Deutsche Ausgabe: Johann Bunyan, *Pilgerreise zur seligen Ewigkeit*. Nebst der Lebensgeschichte des Verfassers, 15. Auflage, Barmen 1903. Fortsetzung im selben Band, vgl. bes. Seite 10f., A. d. Ü.]

dem Unwillen der Kinder zu tun haben, die Solidarität mit ihrer Klasse und ihrem sozialen Umfeld aufzugeben. Daher erklärt sich ihr Hang, ihr frei organisiertes Leben in einer Gesellschaft und Kultur zu vollziehen, die schon je die eigene ist, ein Hang, der keinesfalls allgemeingültig, sicherlich aber deutlich ausgeprägt und umfassend ist.

Assoziationen, die vor einem derartigen, gegebenen Hintergrund gebildet oder eingegangen werden, können noch als freiwillige beschrieben werden. Wir müssen dabei jedoch zugeben, wie partikular und unvollständig die Beschreibung im Grunde genommen ist. Sie wird uns erst recht unvollständig erscheinen, wenn wir den nächsten Punkt auf meiner Liste bedacht haben.

2. Der zweite Zwang besteht in der kulturellen Determiniertheit der verfügbaren Assoziationsformen. Die Mitglieder der Assoziation können einander aussuchen, sie können aber selten viel Einfluß nehmen, wenn es um die Struktur und den Stil ihrer Assoziation geht. Die Ehe ist hierfür ein gutes Beispiel. Die Heirat mag ein echtes Zusammenfinden zweier Geister sein, aber die Bedeutung der Heirat wird nicht von den zwei Gleichgesinnten bestimmt. Die Ehe ist eine kulturelle Praxis. Ihre Bedeutung und die Pflichten, die sie mit sich bringt, werden von den Partnern in dem Moment akzeptiert, in dem sie einander als Ehemann und Ehefrau annehmen. Ihre vorehelichen Übereinkünfte und Verträge berühren lediglich Einzelheiten des Arrangements. Ebenso können Männer und Frauen, die einen Club oder Verband, eine Gewerkschaft oder Partei gründen, frei Versammlungen abhalten und ihre eigenen Richtlinien ausarbeiten. Ihre Assoziation wird gleichwohl derjenigen ihrer Mitbürger am anderen Straßenende oder im nächsten Stadtviertel außerordentlich ähnlich sein, und Vereinsstatuten werden gewöhnlich nach einem standardisierten Muster verfaßt.[5]

[5] Bemerkenswert ist zum Beispiel *Roberts's Rules of Order*, ein Handbuch, das

In Zeiten kultureller Krisen und kulturellen Umbruchs schaffen es schöpferische Individuen offenkundig doch, neue Assoziationsformen zu entwickeln; was oft erst nach vielen anfänglichen Irrtümern und fehlgeschlagenen Versuchen gelingt. Die strukturellen Ungleichheiten der alten Formen können zudem von innen heraus kritisiert und verändert werden, was auch häufig geschieht. Doch ihre Überwindung braucht Zeit. Und selbst am Ende dieser langen Zeit ist eine vollständige Verwirklichung der kritischen Vision, die hinter dieser Bemühung steht, eher unwahrscheinlich. Außerdem kann der Wandel ja auch in die andere Richtung gehen. Der Regelfall ist indes die Kontinuität – Nachahmung und Wiederholung –, die von periodisch auftretenden Reformversuchen unterbrochen wird, welche die unterschiedlichsten Assoziationen zu ihren obersten Prinzipien zurückführen wollen. Die Prinzipien selbst sind Gegenstand der Loyalität, bevor sie überhaupt Gegenstand der Wahl sind.[6]

Ebenso verhält es sich mit der Befähigung zur Assoziation. Sie wird bewundert und nachgeahmt, aber sie ergibt sich nicht aus einer vorsätzlichen Wahl. Wir beschließen nicht, die sozialen und politischen Qualifikationen zu erlernen, die die Assoziation ermöglichen. Wie die Richtlinien und Prinzipien ist auch diese Qualifikation eine kulturelle Gabe. Ein Teil der Eltern und der Älteren besitzt diese Qualifikation und gibt sie weiter, ohne irgendeinen besonderen Aufwand damit zu verbinden. Meine erste Assoziation war eine kleine Gruppe von Achtjährigen, die »Vier-Freunde-für-immer«, eine Assoziation, die etwa zehn Monate hielt und aus der ich für das nächste Mal besser gerüstet

oft in den internen Debatten überaus radikaler Assoziationen angeführt wird, die sich sonst in jeder Hinsicht für das Neue verbürgen.

[6] Und sie sind auch Gegenstand der Loyalität, bevor sie Gegenstand der Reflexion sind: Die Geschichte von Abraham wird erstmals erzählt, als die Gründung des Volks des Bundes, die sie erklären und legitimieren soll, lange zurückliegt. Bunyan schreibt seine Erzählung nach einem Jahrhundert des Experimentierens mit der »versammelten Gemeinde«.

hervorging. In einer Kultur, die die Assoziation und die sie ermöglichende Kompetenz positiv wertet, ist der Zerfall einer Gruppe eher Anreiz als Desillusionierung.

Unser Leben in Assoziationen ist also von Grund auf durch Unverfügbares bestimmt. Man trifft sich zu einem Zweck, entdeckt ein gemeinsames Interesse, einigt sich mehr oder weniger gut auf eine Argumentationslinie und gründet eine Organisation. Diese Organisation ist den anderen Organisationen in vielem ähnlich, *und deshalb wissen wir, was wir tun*. Darum wird die Durchführung unseres Projekts von den bereits bestehenden Gruppen registriert, die sehr schnell herausfinden, ob wir mögliche Konkurrenten oder Verbündete sind oder keines von beiden, nämlich ein Zusammenschluß, der für sie belanglos ist. Wir wecken konventionelle Erwartungen, die unser Ausweis in der Zivilgesellschaft sind. Würden wir uns heimlich treffen, Masken tragen, in einem Geheimcode verständigen, keinen öffentlichen Zweck anerkennen und auch sonst ungewöhnlich verhalten, würden wir Besorgnis und Verdacht erregen. Denn dann wären wir vielleicht überhaupt keine Assoziation, sondern eine Intrige, eine Verschwörung oder etwas Schlimmeres ...

Sogar vollkommen neue Praktiken der Assoziation neigen dazu, alte Formen zu imitieren – so orientiert sich beispielsweise die Schwulenehe an der modernen Kleinfamilie. Das etablierte Modell wird als überaus brauchbar empfunden, solange von seinen konventionellen, geschlechtlich normierten Zwängen einer außer acht gelassen werden kann (man beachte aber, wie schwierig dieses »Außerachtlassen« sein kann). Ein wenig vergleichbar damit ist die Tendenz außerparlamentarischer sozialer Bewegungen, sich zu parteiähnlichen Organisationen zu entwickeln; religiöse Sekten verwandeln sich in Kirchen, während sie unablässig verkünden, sie seien »die etwas andere Kirche« (was sie manchmal tatsächlich sind). Stellen wir uns einmal vor, die Menschen kämen auf völlig verschiedene, unaufhörlich wechselnde Weise zusammen, sie begegneten sich in freien Formen der Assoziation, ohne daß irgend jemand bekannte Signale aussenden würde: die soziale Welt wäre unerträglich – die reinste Unruhe, Mißtrauen ohne Ende. Stellen wir uns bloß vor, jede Ehe würde gesetzlich ungeregelt, in völliger Freiheit der beiden Partner gestaltet werden, ohne irgendein maßgebliches Modell für die Zeremonie, die beide vereint (soviel ist in den Vereinigten Staaten heute durchaus üblich), für ihre beiderseitige Verpflichtung, für ein geregeltes Zuammenleben, für ihre Pflichten gegenüber den verschwägerten Verwandten, den Geschwistern, den Kindern. Die Partner wären vielleicht frei und gleich, aber sie wären wohl kaum »verheiratet«. Das eigentlich Entscheidende an der Praktik ginge völlig verloren. Wir müßten irgendeine andere Praktik erfinden, um die sozialen Erwartungen und die individuellen Verantwortlichkeiten zu stabilisieren. Die freie Wahl kann nur in den Grenzen kultureller Vorgaben funktionieren.

3. Der dritte Zwang für die freiwillige Assoziation hat politischen Charakter. Durch Geburt oder Wohnsitz werden wir zu Mitgliedern eines politischen Gemeinwesens. Die Mitgliedschaft hat zu verschiedenen Zeiten und an verschiedenen Orten unterschiedliche Bedeutung, und für manche Individuen (für Siedler in einem neuen Land z. B.) kann sie bisweilen eine Angelegenheit vorsätzlicher Wahl sein. Für die meisten Menschen ist sie das aber gerade nicht. Die gängige Kritik an der liberalen Zustimmungstheorie gründet sich auf diese simple Tatsache des politischen Lebens: Wir sind – wenn wir nicht sehr viel Pech haben – Staatsbürger von Geburt und werden selten gefragt, ob wir unserer Staatsbürgerschaft zustimmen. Die übliche Entgegnung auf diese Kritik verlegt sich darauf, so etwas wie eine stillschweigende Einwilligung zu unterstellen. (So wie ich, als ich vor über 25 Jahren über Staatsbürgerschaft und Pflicht schrieb.)[7] Für

[7] Siehe mein Buch *Obligations: Essays on Disobedience, War, and Citizenship*, Cambridge, Mass. (Harvard University Press), 1970, darin besonders den fünf-

diese Antwort gibt es gute Gründe, aber das berührt nicht den hier relevanten Punkt: daß das politische Gemeinwesen in einem wichtigen Sinne wie ein gewerkschaftspflichtiger Betrieb ist. Wenn du nun einmal hier bist und wenn du hier bleibst, wirst du in eine Reihe von Regelungen verstrickt, an deren Zustandekommen du keinerlei Anteil hattest.

Die gewerkschaftspflichtigen Betriebe im Bereich der Wirtschaft funktionieren auf die gleiche Weise und erscheinen mir auch in ähnlicher Weise gerechtfertigt.[8] Selbstverwaltung, gleichgültig, ob sie nun die Form politischer oder betrieblicher Demokratie annimmt, ist nur dann möglich, wenn alle Einwohner / Arbeiter auch Staatsbürger sind. Sie können es sich aussuchen, ob sie wählen oder nicht wählen, ob sie sich dieser oder jener Partei oder Bewegung anschließen, ob sie einen Ausschuß oder eine Fraktion bilden oder ob sie auf politische Betätigung gänzlich verzichten. Sobald ihnen aber das Recht, diese Dinge zu tun, versagt wird oder sie selbst es ausschlagen, wird die Demokratie von der Herrschaft einiger Menschen über andere abgelöst. Vielleicht verhält es sich die meiste Zeit über ohnehin so, aber die Möglichkeit des staatsbürgerlichen Aktivismus – die Kampfbereitschaft von Assoziationen, die Massenmobilisierung, die radikale Auflehnung, der Umsturz durch Wahlen – zwingt die Regierenden zumindest zu einer gewissen Zurückhaltung. Und das ist eine Möglichkeit, die die Staatsbürger am Leben halten können, ohne jemals selbst irgend etwas zu tun

ten Aufsatz. Siehe ebenfalls A. John Simmons, *Moral Principles and Political Obligation*, Princeton (Princeton University Press) 1979.

[8] Zumindest sind sie unter dem Vorbehalt demokratischer Bedingungen, wie sie der *Wagner Act* vorsieht, gerechtfertigt: daß eine Mehrheit der Arbeiter der Betriebsbestreikung zwanglos zustimmen muß. Siehe Irving Bernstein, *A History of the American Worker, 1933–1941, Turbulent Years*, Boston (Houghton Mifflin) 1970, S. 327 f. Zu einer theoretischen Verteidigung des gewerkschaftspflichtigen Betriebs siehe Stuart White, »Trade Unionism in a Liberal State«, in: Amy Gutmann (Hg.), *Freedom of Association*, Princeton (Princeton University Press) 1998, Kap. 12.

(obwohl sie manchmal schon etwas tun sollten). *Eine* Sache können sie allerdings nicht tun: Sie können nicht an einem Ort leben und arbeiten und die Rechte der Staatsbürgerschaft zurückweisen – und damit auch deren Lasten wie Steuern und Gewerkschaftsbeiträge.[9]

Die Zwangsmitgliedschaft im Staat und in der Gewerkschaft bringt neue Typen von Wahlhandlungen und Entscheidungen ins Spiel, darunter auch die Entscheidung, ein engagierter Bürger oder ein Gewerkschaftsaktivist zu werden. Eine Vorbedingung für den Aktivismus ist die Zwangsmitgliedschaft offenkundig nicht, denn fraglos können Nicht-Staatsangehörige oder Arbeiter ohne Gewerkschaften Assoziationen bilden. Sie haben sich oft genug zusammengeschlossen, um die politische Einbürgerung oder gewerkschaftliche Anerkennung zu fordern. Dazu muß man jedoch bemerken, daß dies eine Schlacht ist, die die militanten Aktivisten nicht gewinnen können, wenn sie sie nur für sich selbst schlagen. Ein Sieg begreift die passiven anderen mit ein und bietet ihnen neue Chancen und neue Verantwortlichkeiten. Weder für das eine noch für das andere kann man sie wirklich überzeugend als Freiwillige bezeichnen. Sie können sich nun aber, wenn sie sich dafür entscheiden, freiwillig für Aktivitäten und Organisationen einsetzen, die weitreichendere Wirkung haben als alles, was ihnen zuvor verfügbar war. Eine voll entwickelte demokratische Politik wird erst jetzt möglich, und was sie ermöglicht, ist die zwangsweise Mitgliedschaft aller Staatsbürger.

[9] Es gibt hier eine Einschränkung: In vielen politischen Gemeinwesen ist es möglich, ein Ausländer mit ständigem Wohnsitz zu sein, doch auch das ist ein fest umschriebener Status mit Rechten und Pflichten. Wie ich an anderer Stelle dargelegt und begründet habe, sollte einem begreiflicherweise freigestellt sein, zwischen dem Ausländerstatus und der Staatsangehörigkeit zu wählen. Man kann jedoch nicht die damit einhergehenden Rechte und Pflichten wählen. Siehe dazu meinen Aufsatz »Political Alienation and Military Service«, in: *Obligations*, Kap. 5, a. a. O.

4. Der vierte Zwang für Assoziationen ist moralischer Art, was manche Leute so auslegen, als sei dies überhaupt kein richtiger Zwang. Wer der Moral von Assoziationen zuwiderhandelt, wird lediglich ermahnt oder getadelt. Solange eine Moral nicht Bestandteil des Sozialisationsprozesses ist, dem kulturellen Code eingeschrieben ist oder von Staatsbeamten rechtlich erzwungen wird, scheint sie keinerlei praktische Wirkung zu haben. Doch das ist falsch. In jedem der drei ersten Fälle von Zwang spielt die Moral durchaus mit – aber die Moral wird auch abgelöst davon erfahren. Sie ist ein Zwang, dem die Individuen nicht nur als Geschöpfe der Gesellschaft, Kultur und Politik begegnen, sondern auch dann, wenn sie als Individuen richtig handeln wollen. Sie hören eine innere Stimme des Zwangs, die ihnen sagt, daß sie dies oder jenes tun sollen, wofür sie sich (bislang) noch nicht entschieden haben und was sie lieber nicht tun würden. Für mich ist hier besonders wichtig, daß ihnen gesagt wird (daß sie sich sagen), sie sollten dieser Assoziation beitreten, an diesem sozialen oder politischen Kampf teilnehmen – oder sie sollten sich nicht aus diesem Kampf zurückziehen oder diese Assoziation nicht verlassen.

Moralische Zwänge sind oft Beschränkungen der Abwanderung und interessanterweise oft Beschränkungen für den Austritt aus unfreiwilligen Assoziationen. Das klassische Beispiel ist Rousseaus Darstellung des Rechts auf Emigration. Staatsbürger, sagt er, können jederzeit auswandern, es sei denn, die Republik ist in Gefahr. In schwierigen Zeiten haben sie die Pflicht, dazubleiben und ihren Mitbürgern beizustehen. Dasselbe Argument gilt vermutlich für Mitglieder untergeordneter Klassen sowie für Angehörige rassischer oder religiöser Minderheiten, ich werde aber vorerst beim politischen Beispiel bleiben.[10] Die genannte

[10] Jean-Jacques Rousseau, *Vom Gesellschaftsvertrag*, in: Politische Schriften, Band 1, Drittes Buch, Kap. 18, Paderborn (Schöningh) 1977, S. 165 f. Vergleiche auch meinen Aufsatz über die Pflichten unterdrückter Minderheiten in: *Obligations: Essays on Disobedience, War, and Citizenship*, Kap. 3.

Pflicht leitet sich nicht aus ihrer vorherigen politischen Beteiligung ab. Ihre Verpflichtung besteht selbst dann, wenn sie zuvor wenig begeisterte und gleichgültige Staatsbürger gewesen sind, die es nie eilig hatten, zu öffentlichen Versammlungen zu kommen, und die niemals zur Wahl gingen. Rousseaus Behauptung gilt uneingeschränkt. Sie leuchtet außerdem völlig ein. Denn vielleicht habe ich in besseren Tagen von der Republik profitiert, beispielsweise vom Aktivismus meiner Genossen oder vom Schulunterricht, für den die Republik sorgt, oder vom guten Namen eines ihrer Staatsbürger oder einfach davon, an einem sicheren Ort in der Welt zu Hause zu sein. Und nun darf ich nicht einfach auf und davon gehen. Selbst wenn ich mich weigern sollte, diese Beschränkung zu respektieren, bin ich in der Tat geneigt, sie anzuerkennen, und zwar durch die Entschuldigungen, die ich vorbringe, die dringenden Gründe, die ich erfinde, wenn ich meine Taschen packe.

Doch bloß da zu bleiben, wo ich bin, ist möglicherweise nicht alles, wozu ich in einem solchen Fall verpflichtet bin. Ein Beispiel aus den jüdischen Religionsvorschriften kann uns hier weiterhelfen. Die Mitglieder des *kahal* (der autonomen oder halbautonomen Gemeinden des Mittelalters) waren verpflichtet, gegen moralische und religiöse Übertretungen Einspruch zu erheben. Es war ihnen freigestellt, abzuwandern und nach einer Gemeinde zu suchen, wo sie besser mit den örtlichen Gepflogenheiten zurechtkämen. Bedingung dafür war allerdings, daß sie zuvor öffentlich protestiert und versucht hatten, die Praktiken in ihrer Heimatgemeinde zu ändern.[11] Ich denke, für uns, die wir Staatsbürger eines modernen, demokratischen Staates sind, verhält es sich genauso. Wenn die Republik von außen angegriffen wird, sind wir möglicherweise verpflichtet (die Argumentation hierzu ist recht kompliziert), uns als Soldaten zu melden

[11] Der Grundsatz der Verantwortlichkeit wird erstmals im Babylonischen Talmud aufgestellt, Shabbat Traktat, 54 b.

und gegen den Feind zu marschieren. Wenn republikanische Werte im Innern angegriffen werden, müssen wir uns vielleicht einer Partei, einer Bewegung oder einer Kampagne zur Verteidigung dieser Werte anschließen. Dies wären strenggenommen so lange freiwillige Handlungen, wie wir die Freiheit haben, auch anders zu handeln (das Dableiben ist auch nur so lange eine freiwillige Handlung, wie das Auswandern noch eine Option ist). Und doch fühlen wir uns sehr schnell unter einem Handlungszwang, wenn wir auf diese Weise handeln. Wir erfüllen unsere Pflicht. Unsere Handlungen entsprechen nicht Rousseaus berühmter Beschreibung, einem Zwang zur Freiheit gehorchen zu müssen.[12] Wir sind nicht einmal gezwungen, moralisch zu sein. Wir verspüren vielleicht einen beträchtlichen sozialen Druck, das Richtige zu tun. Aber wir glauben, gewissenhaft zu handeln, und das ist eine Handlungsweise, die frei und unfrei zugleich ist. Denn wir haben das Richtige, zu dem uns unser Gewissen jetzt verpflichtet, nie bestimmt oder ausgesucht. Wir sind auch nie darüber belehrt worden, daß unsere stillschweigende Zustimmung – unser Wohnsitz an diesem Ort, unsere Teilnahme an alltäglichen sozialen Tätigkeiten – diese radikale Konsequenz haben könnte. Das Zusammenleben mit anderen Menschen *ist* eben ein moralisches Engagement. Es bindet uns auf unerwartete Art und Weise.

Es gibt natürlich Zeiten, in denen wir uns von diesen Banden befreien sollten: hierin unterscheidet sich die unfreiwillige Assoziation in nichts von der freiwilligen Assoziation. Manchmal sollten wir eine Gruppe verlassen, der wir uns vor ein paar Jahren angeschlossen haben, sollten aus dem geschäftsführenden Vorstand ausscheiden, sollten uns von den anderen Mitgliedern

[12] »Wer dem Gemeinwillen den Gehorsam verweigert, muß durch den ganzen (Staats)Körper dazu gezwungen werden. Das heißt nichts anderes, als daß man ihn dazu zwingt, frei zu sein.« Jean-Jacques Rousseau, *Vom Gesellschaftsvertrag*, in: Politische Schriften, Band 1, Erstes Buch, Kap. 7, Paderborn (Schöningh) 1977, S. 77.

zurückziehen – weil diese Gruppe nicht länger den Zwecken dient, denen wir uns verpflichtet haben, oder weil sie mittlerweile Zwecken dient, die wir ablehnen. Im großen und ganzen gilt dasselbe für Gruppen, denen wir uns nie angeschlossen haben, sondern in denen wir uns von vornherein befanden. Doch vielleicht unterscheiden sich diese beiden Fälle im Ausmaß unserer Verpflichtung, so lange wie möglich in der Gruppe auszuhalten, zu protestieren und uns zu widersetzen.

Mir scheint, die Verpflichtung ist im Fall der unfreiwilligen Assoziation eher größer. Ganz so, wie wir uns mit einem Elternteil, einem Kind oder mit Geschwistern, die irgend etwas völlig falsch machen, länger auseinandersetzen müssen als mit einem Ehepartner. An einem gewissen Punkt können wir uns von dem Ehepartner scheiden lassen, die Trennung von den anderen ist schwerer.

III

Nehmen wir einmal an, wir akzeptieren diese Darstellung unfreiwilliger Assoziaton als eine realistische Soziologie: Was folgt daraus für die politische Theorie oder die Moraltheorie? Wie ich soeben erläutert habe, ergeben sich Verpflichtungen, was aber ein Teil der Soziologie ist. Denn die Verpflichtungen sind schlicht moralische Tatsachen in bezug auf die gegebene Welt. Liegt nicht der Zweck der liberalen Autonomie gerade darin, das Bestehende in Frage zu stellen? Erwartet man nicht von uns, daß wir die Assoziationen kritisieren, in denen wir uns kraft Geburt und Sozialisation befinden, sobald die Frage auftaucht, ob wir sie gewählt hätten, wenn wir in der Lage gewesen wären, frei zu wählen? Müssen wir uns nicht fragen, was rational und autonom Handelnde getan hätten? Das ist eine schwierige Frage, denn es ist wohl klar, daß rational und autonom Handelnde den größten Teil dessen, was wirklich lebende Menschen seit Anbeginn der

Geschichte getan haben, nicht getan hätten. Wo sollte die Kritik ansetzen? Die überwiegende Zahl dieser wirklich lebenden Menschen wird in Anbetracht ihrer kulturellen und politischen Erziehung das »wählen«, was ihnen zuteil wurde. Sogar die Rebellen und Revolutionäre unter ihnen sind vermutlich nur gegen einige Dimensionen des Bestehenden. Müssen sie gegen alles sein, was eine Reihe bloß vorgestellter, frei und rational Handelnder niemals gewählt hätte?

Letztlich ist die bestehende Welt fast ausnahmslos für einige, die in ihr leben, mit Unterdrückung verbunden. Und wie sollen die, wie sollen wir anderen ohne Bezug auf irgendein Maß für größtmögliche Freiheit, für vollständige Autonomie, die Unterdrückung erkennen können? Das alte Argument vom falschen Bewußtsein ist in Wirklichkeit ein Argument in bezug auf die moralische Epistemologie unfreiwilliger Assoziation. Die These ist, daß alle vier Formen vorgegebener Zugehörigkeit, die ich aufgezählt habe – Zugehörigkeit zu einer Familie, zu einer Kultur, zu einem Staat oder die Bindung an eine moralische Beziehung –, zur geistigen Unselbständigkeit beitragen. Aus dieser Unmündigkeit befreien wir uns nur, indem wir uns aus diesen Assoziationen lösen und unseren eigenen Weg gehen. Oder wir spielen im Geiste durch, daß wir das tun, und werden dadurch in die Lage versetzt, eine kritische Haltung gegenüber dem einzunehmen, was wir tatsächlich tun.

Ich möchte den Wert solcher hypothetischer Vorstellungen gar nicht abstreiten, möchte allerdings mit Nachdruck auf andere Werte verweisen. Die Welt unfreiwilliger Assoziation läßt stets einen gewissen Freiraum für Widerspruch und Widerstand. Und sie gibt den Menschen die meiste Zeit Gründe, diesen Raum zu nutzen, anstatt ihn ganz zu verlassen. Diese Gründe beinhalten die Treue zu bestimmten anderen Menschen, das Gefühl, (bei ihnen) zu Haus zu sein, den Reichtum einer überkommenen Tradition und der Wunsch nach bruchloser Fortsetzung der Generationen. Männer und Frauen, die sich dafür entscheiden, in einer gegebenen Assoziation zu wirken, sind nicht notwendig Opfer eines falschen Bewußtseins. Kritiker von außen müssen sichergehen, daß sie die Gründe für die Entscheidung verstehen. Eine informierte und realistische Soziologie der Moral ist eine unverzichtbare Vorbedingung für eine nicht vermessen urteilende Sozialkritik.

Es gibt nicht viele Beispiele einer Kritik von »außen«, die von Kritikern stammt, die sich auf diese Art soziologischen Verstehens verpflichtet haben. Ich werde nur ein Beispiel aus der politischen Theorie anführen, das von der amerikanischen feministischen Wissenschaftlerin Nancy Hirschmann stammt. Sie hat für die Praktik der Verschleierung in der muslimischen Kultur eine sorgfältige, nuancierte Analyse vorgenommen, wobei sie sich auf Aussagen muslimischer Frauen stützt, von denen einige »innerhalb«, andere »außerhalb« religiöser Gruppen leben.[13] Hirschmann beschreibt, wie der Schleier eine Bekräftigung der Unabhängigkeit und ein Symbol des Widerstands sein kann – obwohl er ursprünglich die Unterordnung der ihn tragenden Frauen zum Ausdruck brachte *und auch nach wie vor zum Ausdruck bringt*. Die Verschleierung ist wie die historischen Formen der Heirat eine überlieferte Praktik, die von freien Frauen niemals gewählt werden würde, wenn sie sozusagen vom Nullpunkt ausgehen könnten. Aber so etwas wie eine Wahl, die bei Null anfängt, ist nicht möglich, denn es gibt keine absoluten Anfänge. Ich glaube, die wichtigste Alternative für muslimische Frauen in der modernen Welt ist der westliche Liberalismus (den ich im Gespräch mit ihnen sicherlich verteidigen würde). Denkbar ist aber, daß sie sich nicht als westliche Liberale wahrnehmen. Es gibt wahrscheinlich viele liberale Praktiken, geschlechterbezogene wie sonstige, die sie nicht wählen würden, wenn sie bei Null anfangen könnten. Deshalb ringen sie oft gleichzeitig mit der Praktik des Verschlei-

[13] Nancy J. Hirschmann, »Eastern Veiling, Western Freedom?«, in: *The Review of Politics*, Bd. 59, Nr. 3 / Sommer 1997, S. 461–488.

erns und der Unterordnung, die sie darstellt, und mit dem »Kulturimperialismus« des Westens. Den Schleier zu tragen, ihn in abgewandelter Form oder nur gelegentlich zu tragen, können alles sinnvolle Wahlhandlungen in solchen Kämpfen sein, die unabänderlich in einer Welt der Bedeutungen stattfinden, die von den Frauen nicht gewählt worden sind.

In diesem wie in vielen anderen Fällen kann der Kampf gegen Ungleichheit und Unterordnung in unfreiwilligen Assoziationen nicht dadurch gewonnen werden, daß sich einzelne entziehen (obwohl der erwünschte Austritt von Individuen möglich sein sollte). Ebenso kann der Kampf gegen die ökonomische, religiöse oder rassische Ungleichheit in der Gesellschaft als Ganzes nicht gewonnen werden, indem man Klassen, Glaubensgemeinschaften oder Rassen abschafft. Die marxistische Vision einer klassenlosen Gesellschaft ist vielfach in bezug auf Religionen und Rassen verallgemeinert worden. Tatsächlich ist es wohl nicht einmal die richtige Vision für die Ökonomie. Die kollektiven Verbesserungen bei den Löhnen, den Arbeitsbedingungen, der politischen Mitwirkung und dem sozialen Ansehen der Arbeiterklasse helfen den gewöhnlichen Arbeitern mehr, als ihnen die ideologische Verpflichtung auf die klassenlose Gesellschaft wahrscheinlich je helfen wird. Aus diesem Grund können die Solidaritätspflichten von Klassenangehörigen durchaus wichtiger sein als ihre Rechte auf Mobilität. Das gleiche Argument gilt erst recht für alle anderen »bestehenden« Gruppen, bei denen die Forderung nach kollektiver Anerkennung und nach Zuerkennung von Rechten Vorrang hat gegenüber den Forderungen nach Aufhebung des Kollektivs und dem Recht auf Integration in bereits anerkannte und einflußreiche Gruppen – und das aus guten moralischen und psychologischen Gründen.

Wie ich bereits erläutert habe, glauben einzelne Mitglieder von Assoziationen für gewöhnlich nicht, daß es ihnen freisteht zu gehen, und normalerweise möchten sie nicht miterleben, wie sich ihre Gruppe auflöst und wie sie selbst durch Angleichung in der Gesamtgesellschaft aufgehen. Sie hegen die Hoffnung, die von ihnen geschätzte Tradition aufrechterhalten zu können, aber unter günstigeren Umständen, in einem egalitäreren sozialen Umfeld, hoffen also, die Tradition nicht um der Gleichheit willen aufgeben zu müssen. Sie möchten auch nicht, daß ihre Kinder von der Tradition abgeschnitten werden und notgedrungen ihre Identitäten »freischwebend« bilden müssen – so als würden Kinder ohne eigene Familie, ohne Kultur, ohne Land von irgendeinem mythischen Nullpunkt aus ins Leben starten. Die Eltern wünschen sich vielmehr eine gesellschaftliche Konzeption von Freiheit und Gleichheit, die mit der kollektiven Differenz ebensogut vereinbar ist wie mit der individuellen Differenz. Und das ist ein legitimes Ziel der sogenannten »Identitätspolitik« (die auch illegitime Ziele beinhaltet). Die Legitimität leitet sich aus dem ab, was Iring Fetscher »*das Recht, man selbst zu bleiben*« genannt hat.[14] Ein Recht, das sogar oder gerade gegen Integrationskampagnen, die im Namen des politischen Universalismus unternommen werden, Gültigkeit beanspruchen kann – so hatte es beispielsweise in den Vereinigten Staaten im frühen 20. Jahrhundert staatlich unterstützte Bemühungen gegeben, Einwanderer zu »amerikanisieren«. In den gegenwärtigen sozialen Konflikten, die sich häufig darum drehen, daß Mitglieder unfreiwilliger Assoziationen Ansprüche auf Anerkennung stellen, spielt die Verteidigung dieses Rechts eine wichtige Rolle.

IV

Können wir uns wirklich Individuen ohne irgendwelche Bindungen vorstellen? Individuen, die nicht durch Klasse, Religion, Rasse oder Geschlecht festgelegt sind, sondern die identitätslos,

[14] Iring Fetscher, *Arbeit und Spiel*, Stuttgart (Reclam) 1983, S. 146–165.

vollkommen frei sind? Das Gedankenexperiment ist gerade jetzt besonders nützlich, da postmoderne Theoretiker so begeistert von »Selbstgestaltung« schreiben, einem Unternehmen, das zwar nicht unbedingt einen absoluten Anfang voraussetzt oder in einem sozialen Vakuum vor sich geht, immerhin aber – so wird uns gesagt – inmitten der Ruinen konventioneller sozialer Formen. Ich meine, der Versuch, eine *Gesellschaft* sich selbst gestaltender Individuen zu beschreiben, muß sich notwendigerweise als unsinnig erweisen. Es wird jedoch interessant sein, im einzelnen herauszufinden, wie das geschieht und wie endgültig das Scheitern ist. Wir versuchen also, uns Männer und Frauen auszumalen, die so sind, wie sie die französische Psychoanalytikerin Julia Kristeva beschreibt, nämlich Individuen, die ihre Identitäten und Angehörigkeiten »von Klarsicht statt vom Schicksal« bestimmen lassen.[15] Die Entscheidungen über ihre Lebenspläne treffen sie selbst; sie wählen nicht nur ihre assoziierten Gefährten, sondern auch schon die Form ihrer Assoziation; sie stellen jedes übliche soziale Muster in Frage und erkennen keine Bindungen an, die sie nicht selbst zustande gebracht haben. Sie machen ihr Leben zu rein persönlichen Projekten, sie sind Unternehmer in Sachen ihres Selbst.

Diese Selbststilisierung ist zweifellos »ungewiß, riskant und anstrengend«, wie George Kateb, einer ihrer Befürworter in der amerikanischen politischen Theorie, einräumt.[16] Aber die Männer und Frauen, deren Projekt sie ist, fangen damit als Kinder an; sie haben Zeit, sich an die Schwierigkeiten zu gewöhnen. Vermutlich werden ihnen ihre Eltern (denn wie wiedergeborene Christen haben auch selbstentworfene Männer und Frauen Eltern) helfen, sie auf die Entscheidungen vorzubereiten, die sie treffen müssen. Vergessen wir nicht, daß wir uns eine Gesell-

[15] Julia Kristeva, *Nations without Nationalism*, üb. von Leon Roudiez, New York (Columbia University Press) 1993, S. 35.

[16] George Kateb, »Notes on Pluralism«, in: *Social Research*, Band 61, Nr. 2/Sommer 1994.

schaft solcher Menschen vorstellen, nicht einfach eine Zufallsauswahl. Wie werden junge Menschen in einer solchen Gesellschaft erzogen werden? Was beinhaltet es genau, verletzliche und abhängige Kinder in freie Individuen zu verwandeln?

Ich stelle mir vor, wie den Kindern die Werte der Individualität beigebracht werden: die Bedeutung von Autonomie und Integrität, die Freude der freien Wahl, das Aufregende daran, bei persönlichen Beziehungen und beim politischen Engagement Risiken einzugehen. Belehrungen dieser Art können aber nicht nur als Befehle ausgegeben werden: Wähle frei! Mach deine eigene Sache! Sie werden wahrscheinlich in der erzählten Form am besten vermittelt. Und so würden den Kindern bewegende Geschichten darüber erzählt werden, wie gegen entschlossen auftretende Kommunitaristen oder religiöse Gruppen eine Gesellschaft freier Individuen errichtet wurde. Und wie man früheren, primitiven, organischen oder tyrannischen sozialen Verhältnissen entronnen ist beziehungsweise wie man sie gestürzt hat. Wir müssen auch annehmen, daß aus dieser Erzählung feierliche Anlässe abgeleitet und durch rituelle Inszenierungen des Kampfs gegen die unfreiwillige Assoziation alljährlich hervorgehoben werden. Dies ist eine Übung für die Gefühle; da jedoch auch der Kopf für die Freiheit bereit sein muß, würde man von Studenten vermutlich die Kenntnis der Grundlagentexte verlangen, in denen die freie Individualität erklärt und verteidigt wird, sowie die Lektüre der von freien Individuen verfaßten klassischen Romane und Gedichte voraussetzen.

All das scheint mir offenkundig notwendig zu sein. Man bereitet Kinder nicht auf das soziale Leben vor, indem man sie frei herumlaufen läßt wie wilde Pferde auf der Weide, geschweige denn für ein Leben, das ungewiß, riskant und anstrengend ist. Auf der anderen Seite erinnert das Bild von eingepferchten Pferden an nichts so sehr wie an unfreiwillige Assoziation, was eine Schule aber gerade ist, und auch dann ist, wenn sie zur Freiheit erzieht. Doch selbst wenn schulischer Unterricht notwendig (und notwendigerweise mit Zwang verbunden) ist, führt er nicht unbedingt zum Erfolg. Für die überwiegende Zahl der Kinder wird es eine Belastung sein, eine Form zu finden, wie sie ihre einzigartige Individualität ausdrücken können. Sie werden sich deshalb nach einem konventionellen Muster sehnen, in das sie sich einordnen können. Im Prinzip kann ihnen jedoch nicht mehr vermittelt werden als eine allgemeine Darstellung, wie ein individueller Lebensplan aussehen sollte. Ihnen kann nicht nähergebracht werden, wie ihre eigenen Pläne aussehen sollten. Wie werden sie also ihren eigenen Weg finden? Ich glaube, die Kohorte heranwachsender, unfertiger Individuen wird von Wellen modischer und ernsthafter Exzentrizität geschüttelt werden. Ich denke, sie werden in eine Vielfalt von Assoziationen spontan eintreten und überstürzt austreten. Aber wären sie, in Anbetracht aller Anstrengungen ihrer Eltern und Lehrer, am Ende auch nur ein kleines bißchen differenzierter, ein Quentchen individualisierter als die Kinder bekennender Juden oder Katholiken oder sehr nationalitätsbewußter Bulgaren oder Koreaner zum Beispiel? Wären sie tatsächlich auch nur eine Spur toleranter gegenüber einem Gleichaltrigen ihrer Gruppe, der nicht mitmacht, was alle machen, sich nicht schöpferisch zu sich verhält, sondern den schockierten Freunden erklärt: »Ich werde einfach den Lebensplan meiner Eltern kopieren«?

Die Mehrzahl der Kinder würde natürlich nicht auf diese Weise rebellieren, sondern rechtzeitig so etwas wie eine »Herde unabhängiger Geister« bilden (so nannte der amerikanische Gesellschaftskritiker Harold Rosenberg die Intelligenz des Westens der 1940er und 50er Jahre).[17] Sie wären stolz auf jeglichen Unterschied, den sie kultivieren konnten, und würden sich in der Gesellschaft von ihresgleichen wohl fühlen. Sie würden freiwillig an der Politik dieser Gesellschaft freier Individuen teilnehmen, ob-

[17] Harold Rosenberg, *The Tradition of the New*, New York (Horizon Press) 1959, Titel des vierten Teils.

wohl ich mir nicht sicher bin, wie Politik überhaupt funktionieren könnte, wenn jeder versuchen würde, ein Abweichler oder Außenseiter zu sein (oder auch nur als einer zu wirken). Jedenfalls würden sie sich gewiß verpflichtet fühlen, eine politische Ordnung zu verteidigen, die ihr Abweichlertum vor jeder inneren oder äußeren Bedrohung schützt, insbesondere aber vor solchen Gefährdungen schützt, die von Leuten ausgehen, die ihre eigene kollektive Verpflichtung und gewöhnliche Identität geltend machen. Den Individuen stünde es frei abzuwandern, es sei denn, die Individualität selbst wäre angegriffen ...

Ich denke, diese fiktive Darstellung macht deutlich, daß es eine Gesellschaft freier Individuen ohne einen entsprechenden Sozialisationsprozeß, ohne eine Kultur der Individualität und ohne ein tragendes politisches System, dessen Bürger darauf eingerichtet sind, umgekehrt das System zu stützen, nicht geben könnte. Mit anderen Worten, die Gesellschaft freier Individuen wäre für die Mehrheit ihrer Mitglieder eine unfreiwillige Assoziation. Sämtliche Bindungen sozialer, kultureller, politischer oder moralischer Art, die in anderen Gesellschaften existieren, würde es in dieser Gesellschaft ebenfalls geben, und sie würden dieselben gemischten Wirkungen haben, indem sie zum einen Konformität erzeugen, zum anderen gelegentlich Rebellion provozieren. Allerdings wären Menschen, die in einer derartigen Gesellschaft leben oder meinen, in einer solchen zu leben, eher geneigt, sowohl die Existenz als auch die Legitimität dieser Bindungen abzustreiten, und zwar besonders die Konformisten unter ihnen. Und Verleugnung ist gefährlich. Sie macht die moralische und soziologische Analyse unfreiwilliger Assoziation schwieriger, als sie es sonst wäre. Wir sind dann nicht imstande, darüber zu diskutieren, ob die Bindungen zu eng oder zu locker sind, ob sie der offiziellen Förderung oder der rechtlichen Regulierung bedürfen, ob private Unterstützung, aktive Opposition oder wohlwollende Vernachlässigung erforderlich ist. Wir sind dann nicht imstande, Formen der Ungleichheit zu verstehen, die durch unfreiwillige Assoziation hervorgebracht werden, oder Kämpfe zu beurteilen, die sich in den Assoziationen abspielen (d. h., wir können uns nicht sinnvoll einmischen). Außerdem sind wir dann nicht imstande, die Anstrengungen der Identitätspolitik anzuerkennen oder vernünftige von unvernünftigen Ansprüchen auf »Anerkennung« zu unterscheiden. Alle diese Dinge sind jedoch ungemein wichtig, denn der Charakter unfreiwilliger Assoziation ist keineswegs vollständig festgelegt. Er ist zumindest Gegenstand politischer Veränderung. Ändern können wir freilich erst etwas, sobald wir es anerkannt haben. Wenn mit niemandem zu rechnen ist außer mit vollkommen autonomen Individuen, hätten politische Entscheidungen in bezug auf Zwang und Freiheit, Unterordnung und Gleichheit keine glaubwürdigen Bezugsobjekte.

Und in der Tat müssen in bezug auf all die ungewählten Strukturen, Muster, Institutionen und Gruppierungen heikle Entscheidungen getroffen werden. Der Charakter und die Qualität unfreiwilliger Assoziation beeinflussen in wichtigen Hinsichten den Charakter und die Qualität freiwilliger Assoziation. Das Unfreiwillige ist historisch und biographisch früher anzusiedeln – es bildet den unvermeidlichen Hintergrund für jedwedes soziale Leben, sei es nun frei oder unfrei, gleich oder ungleich. Wir bewegen uns auf die Freiheit zu, wenn wir den Austritt ermöglichen: Scheidung, religiöse Konversion, Rückzug, Opposition, Kündigung und so fort. Wir bewegen uns auf die Gleichheit zu, wenn wir dem sozialen Wandel in unfreiwilligen Assoziationen und der Statusneuordnung zwischen den unfreiwilligen Assoziationen Wege erschließen. Hingegen wird ein Massenaustritt nie möglich sein, auch wird die Neuordnung niemals zur Abschaffung unfreiwilliger Assoziation führen. Wir können den ungewählten Lebenshintergrund nicht gänzlich in den Vordergrund ziehen und zu einer Angelegenheit der individuellen Selbstbestimmung machen. Ich denke, der Punkt liegt auf der Hand, ist es aber dennoch wert, klar und deutlich festgehalten zu werden: Die freie Wahl hängt von der Erfahrung unfreiwilliger Assoziation und von der Verarbeitung jener Erfahrung ab, und genauso verhält es sich mit egalitärer Politik. Ohne diese Erfahrung und ohne ihre Verarbeitung wären die Individuen nicht stark genug, sich den Ungewißheiten der Freiheit zu stellen. Es gäbe keine klaren und schlüssigen Alternativen, zwischen denen man wählen könnte. Es gäbe keinerlei politischen Schutz vor den Feinden freier Wahlhandlungen, es gäbe nicht einmal das bißchen Vertrauen, das uns die freiwillige Assoziation erst ermöglicht. Und es gäbe außerdem keinen Kampf für Gleichheit, in den Männer und Frauen mit Identitäten und Loyalitäten, Mitstreitern und Verpflichtungen einbezogen sind – was besagt, daß es keinen realistischen oder länger andauernden Egalitarismus geben könnte.

Aber wir können auf diesen sozialen Lebenshintergrund einwirken, indem wir die Erfordernisse für verschiedene Zeiten und Orte klären, um zum Beispiel eine rege Teilnahme am Leben von Assoziationen anzustoßen und um die Bedingungen dafür zu vereinheitlichen. Wir können zum Beispiel die öffentlichen Schulen auf diese oder jene Weise verbessern, den Lehrplan ändern, Qualitätsanforderungen auf nationaler Ebene festschreiben, eine örtliche Schulaufsicht einrichten, Bezahlung und Ansehen der Lehrerschaft erhöhen. Wir können verlangen, daß alle Kinder diese Schulen besuchen, oder wir können private und konfessionsgebundene Schulen zulassen, denen wir Auflagen erteilen. Die Sozialisation ist immer mit Zwang verbunden, aber ihr Charakter und ihre Bedingungen sind offen für die demokratische Debatte und Reform. Genauso können wir Einkommen und Chancen zugunsten größerer Gleichheit umverteilen, und zwar nicht nur unter Individuen, sondern auch unter den rassisch und religiös verschiedenen Bevölkerungsgruppen. Wir können das Eherecht ändern, können damit die Scheidung erleichtern oder erschweren, Familienbeihilfen bereitstellen, zum Schutz mißhandelter Frauen und verwahrloster Kinder einschreiten, unsere Vorstellungen von Geschlechterrollen in der Familie und außerhalb der Familie korrigieren. Wir können den gesetzlichen Rahmen ändern, in dem die Rechtsformen und Satzungen von Konzernen und Gewerkschaften verfaßt werden, können diese oder jene Assoziation subventionieren. Wir können bestimmte Rituale und Praktiken in Assoziationen verbieten, so zum Beispiel die Polygamie oder die sogenannte weibliche Beschneidung. Wir können Rechte und Pflichten der bei uns ansässigen Ausländer überdenken. Wir können für den Dienst im Militär Freiwillige werben oder Wehrpflichtige rekrutieren, die eine oder andere Kategorie von Männern und Frauen vom Wehrdienst befreien usw. Der Umgang mit den von der Familie, der Ethnizität, der Klasse und dem Geschlecht ausgeübten Zwängen ist im weitesten Sinne das, womit es die demokratische Politik zu tun hat. Es ist, ich sagte es schon, nicht möglich, die unfreiwillige Assoziation abzuschaffen, und in manchen Zeiten wollen wir sie ja sogar stärken. Denn eine der Identitäten, die sie fördern kann, ist die demokratische Staatsbürgerschaft. Ebensowenig läßt sich für die Anteile des Freiwilligen und des Unfreiwilligen irgendein richtiges Verhältnis angeben, das Ausgewogenheit garantiert. Diese Anteile müssen ausgehandelt werden, um den jeweils aktuellen Befürfnissen gerecht zu werden.

In der Praxis ähneln die Resultate dieser Aushandlung weniger einem einfachen Gleichgewicht als einem gemischten Doppel zweier Elemente. Der notwendige Hintergrund des sozialen Lebens ist lediglich zu einem Teil unfreiwillig, da ein Austritt aus den vielfältigen Mitgliedschaften immerhin möglich, wenngleich stets mit Schwierigkeiten verbunden ist. Die Assoziationen des Vordergrunds wiederum – all unsere Parteien, Bewegungen und Gewerkschaften – sind nur in einem eingeschränkten Sinne freiwillig: Sie stellen die freie Wahl von Männern und Frauen dar, die man gelehrt und befähigt hat, Wahlen gerade dieser Art ... frei zu treffen – wobei einige ihre Freiheit unter Beweis stellen, indem sie eine derartige Wahl nicht treffen. Diese

Belehrung und Befähigung repräsentieren den fortwährenden Ausbau der Wahlfreiheit: Manchmal kann durch sie die Freiheit nochmals vergrößert werden, manchmal ihr Nutzen etwas gerechter verteilt werden – eine vollkommene Autonomie wird durch sie nicht erreicht werden. Trotzdem bleibt diese an Belehrung und Befähigung geknüpfte Freiheit auf alle Fälle ein enorm wertvoller Voluntarismus. Ich denke, wir sollten sie einfach ohne jede Einschränkung Freiheit nennen: Es ist die einzige Freiheit, die Menschen wie Sie und ich jemals kennen können.

In meiner ersten Vorlesung habe ich den Versuch unternommen, die individuelle Freiheit im Rahmen ihrer Beschränkungen durch das Leben in Gemeinschaft zu beschreiben. Meine Absicht dabei war, die Beschränkungen zu rechtfertigen, Stellung zu beziehen gegen eine übertriebene und asoziale Darstellung dessen, was Freiheit ist und wie sie wirkt, und eine Konzeption von Gleichheit zu verteidigen, die Männern und Frauen als Angehörigen von Gruppen Rechnung trägt. In meiner nächsten Vorlesung möchte ich eine andere liberale Übertreibung in Augenschein nehmen, nämlich das Bild autonomer Individuen, die sich in der demokratischen Deliberation engagieren. Hierbei handelt es sich nicht so sehr um ein asoziales als vielmehr um ein antipolitisches Bild. Ich werde den Standpunkt vertreten, daß die Deliberation wegen der allgegenwärtigen Wirkungen von Ungleichheit und sozialen Konflikten nur begrenzten Wert hat und daß demokratische Politik ein substantielleres Engagement verlangt.

2 Deliberation ... und was sonst?

I

»Deliberative Demokratie« heißt die amerikanische Variante der deutschen Theorien des kommunikativen Handelns und der idealen Sprechsituation. Charakteristischerweise ist sie auf einem niedrigeren Niveau philosophischer Entwicklung und Rechtfertigung angesiedelt – was sie für Leute wie mich, die sich auf diesem niedrigen Niveau bewegen, zugänglicher macht –, und ihre Verteidiger gehen zwangloser als deutsche Philosophen auf Fragen staatlicher Politik und institutioneller Regelungen ein. Bei ihnen liegt der Schwerpunkt nicht auf den rational ermittelbaren Prämissen des Diskurses, sondern vielmehr auf der praktischen Organisation und den voraussichtlichen Ergebnissen normativ kontrollierter, politischer Argumentationen. Die Prämissen werden ohne irgendeinen aufwendigen Nachweis ihres philosophischen Status schlicht vorausgesetzt.

Dennoch ist die deliberative Demokratie auf emphatische Weise eine *Theorie* über Politik und stellt eine interessante Entwicklung des amerikanischen Liberalismus dar: den Übergang von einem Diskurs der Rechte zu einem Diskurs der Entscheidung. Gewiß, der zweite Diskurs schaut sich nach dem ersten um und hat einen gewissen Hang zum Gerichtssaal beibehalten, wie ich noch ausführen werde. Der jüngste Ausstoß von Büchern und Artikeln über deliberative Demokratie ist dennoch beeindruckend, und viele der darin ausgebreiteten Argumente sind überzeugend.

Aber zur Deliberation hat es in den Vereinigten Staaten viel zuwenig inhaltliche Auseinandersetzung gegeben und kaum einen Versuch, ihre Kontexte und notwendigen Komplemente zu berücksichtigen. Die Idee läuft Gefahr, zu einem Gemeinplatz zu werden.[1] Ich gedenke, einem gegenteiligen Impuls nachzugeben, und eine Liste all der nicht-deliberativen Aktivitäten anzufertigen, die die demokratische Politik legitimerweise, vielleicht auch notwendigerweise, beinhaltet. Ich bezweifle, daß die Liste erschöpfend ist, obwohl ich nichts wissentlich ausgelassen habe. Wie schnell deutlich werden wird, habe ich die Deliberation nicht dem Denken gleichgesetzt. So sind die Aktivitäten, die ich beschreiben möchte, weder unüberlegt noch schlecht durchdacht. Sie sind aber auch nicht deliberativ im idealen oder programmatischen Sinne, der den Theoretikern der deliberativen Demokratie vorschwebt: ausgerichtet auf die Entscheidungsfindung in einem rationalen Prozeß der Diskussion unter Gleichen, die sich die Ansichten der anderen respektvoll anhören, verfügbare Informationen abwägen, alternative Möglichkeiten berücksichtigen, über Sinn und Zweck der Sache diskutieren und dann die beste Landespolitik festlegen oder die geeignetste Person für ein Amt aussuchen.

Zuweilen überlegen und beraten wir tatsächlich im vollen Sinn der Deliberation, aber was tun wir sonst noch? Was spielt sich im Bereich demokratischer Politik neben der Deliberation außerdem ab?

Hinter diesen Fragen verbirgt sich nicht die Absicht, die Bedeutung der Deliberation abzustreiten oder theoretische Darstellun-

[1] Habermas' Theorie des kommunikativen Handelns ist natürlich Gegenstand einer umfangreichen kritischen Literatur gewesen, die sich größtenteils auf technische philosophische Aspekte der Theorie konzentrierte. Amerikanischen Autoren, die die technische Argumentation meistens vermeiden, blieb die Kritik bislang erspart. Siehe aber Lynn Sanders, »Against Deliberation«, in: *Political Theory*, Juni 1997; und meinen eigenen Beitrag »Critique of Philosophical Conversation«, in: *The Philosophical Forum*, Herbst/Winter 1989/90, der nur zum Teil auf Habermas abzielt.

gen ihrer Voraussetzungen, wie sie jüngst von Amy Gutmann und Dennis Thompson vorgelegt wurden, zu kritisieren.[2] Ich will damit auch gar nicht sagen, daß diese beiden Autoren oder andere Theoretiker der Deliberation die Wichtigkeit der Aktivitäten leugnen würden, die ich auflisten werde. Sie würden diese Aktivitäten aber wohl etwas anders beschreiben, als ich es hier tue. Denn ich beabsichtige in fast allen Fällen, eine realistische (statt normative) und überdies sehr wohlwollende Beschreibung abzugeben. Mein hauptsächliches Ziel ist allerdings herauszufinden, wie sich die Deliberation in einen demokratischen politischen Prozeß einfügt, der, wie meine Liste klar erkennen läßt, durchgängig nichtdeliberativ ist. Wir gehen also vom Wert des »gemeinsamen vernünftigen Argumentierens« aus, wie Gutmann und Thompson ihn beschreiben, wobei Vernunft durch Reziprozität, Öffentlichkeit und Verantwortlichkeit näher bestimmt ist, lassen aber diesen Punkt vorerst beiseite. Die Politik kennt außer der Vernunft und oft in Spannung zu ihr noch weitere Werte: Leidenschaft, Engagement, Solidarität, Courage und Konkurrenzverhalten (wobei alle der genaueren Bestimmung bedürfen). Diese Werte zeigen sich in einem breiten Spektrum von Aktivitäten, bei denen die politisch aktiven Männer und Frauen zwar gelegentlich auch »gemeinsam vernünftig argumentieren«, zu deren Beschreibung aber andere Ausdrücke besser geeignet sind.

Ich habe meine Liste so gestaltet, daß jeder ihrer Punkte so scharf wie möglich von der Idee der Deliberation unterschieden ist. Ich habe jedoch nicht vor, irgendeinen krassen Gegensatz aufzubauen, nur um die wesentlichen Unterschiede zu betonen. Ich werde später darauf zurückkommen, in welcher Form wir im Laufe all dieser anderen Aktivitäten deliberieren oder zumindest debattieren. Zunächst möchte ich die Dinge auseinanderhalten, bevor ich auf ihre vielfältigen Verwicklungen eingehe.

[2] Amy Gutmann/Dennis Thompson, *Democracy and Disagreement*, Cambridge, Mass. (Harvard University Press), 1996.

1. *Politische Bildung.* Menschen müssen erst lernen, was es heißt, politisch zu sein. Manches von dem, was sie lernen, wird ihnen in der Schule beigebracht: die Grundzüge der Geschichte demokratischer Politik, ihre entscheidenden Ereignisse und Akteure, Grundwissen über das föderale System, über die Gewaltenteilung, über Struktur und Zeitpunkt von Wahlen, vielleicht noch eine Darstellung der wichtigsten Ideologien, zumindest in zur Karikatur geschrumpfter Form usw. Parteien, Bewegungen, Gewerkschaften und Interessengruppen sind jedoch auch so etwas wie Schulen, weil sie ihre Mitglieder die Ideen lehren, zu deren Verbreitung sie als Gruppen organisiert sind. Was die alten kommunistischen Parteien »Agitprop« nannten, ist eine Form der politischen Bildung. Der Deliberation verpflichtete Theoretiker werden jetzt sagen, das sei eine schlechte Form der Bildung, in Wirklichkeit sei es Indoktrination. Und es stimmt gewiß, daß Parteien und Bewegungen bestrebt sind, ihre Mitglieder zu indoktrinieren. Das heißt, sie wollen sie dahin bringen, eine Doktrin zu akzeptieren – und wenn irgend möglich, diese Lehre zu vertreten, ihre zentralen Grundsätze zu wiederholen (selbst wenn es nicht beliebt ist, das zu tun), so daß letztlich jedes indoktrinierte Mitglied selbst zu einem Akteur doktrinärer Weitervermittlung wird. Ganz abgesehen davon, ob dies nun als gut oder schlecht zu beurteilen ist – es ist im politischen Leben ungemein wichtig, weil die politische Identität der meisten Menschen, die in der Politik engagiert sind, auf diese Weise gebildet wird. Politische Identitäten werden natürlich auch vom Familienleben geformt: Akteure mit Meinungen heiraten Akteure mit ähnlichen Meinungen und ziehen Kinder auf, an die sie diese Meinungen weiterzugeben versuchen – meist durchaus mit Erfolg. Die Sozialisation in der Familie als früheste Form politischer Erziehung ist lediglich Agitprop mit Liebe. Aber die Meinungen, die weitergegeben werden, spiegeln Lehren wider, die außerhalb der Familie entwickelt und in öffentlichen Räumen durch eine Vielzahl öffentlicher Medien eingetrichtert wurden.

2. *Organisation.* Eines der Ziele politischer Bildung, oder zumindest von Agitprop und Indoktrination, ist, die Leute dahin zu bringen, daß sie sich mit bestimmten Organisationen identifizieren und für sie arbeiten. Aber das Organisieren selbst ist eine ganz besondere Tätigkeit, die beinhaltet, Menschen dazu zu bewegen, tatsächlich zu unterschreiben, ein Plakat zu tragen, Disziplin zu akzeptieren, ihre Beiträge zu zahlen und zu lernen, in Übereinstimmung mit einem Drehbuch zu handeln, das sie nicht selbst geschrieben haben. »Die Gewerkschaft macht uns stark!« lautet eine demokratische Maxime (»The union makes us strong!« heißt auch eine Zeile aus einem Volkslied, das zum Liedgut der amerikanischen Linken gehört). Sie spiegelt die Mehrheitsorientierung der Demokratie, bei der höchste Prämien auf Assoziation und Zusammenschluß stehen. Gewerkschaften sind jedoch genau wie Armeen dann nicht stark, wenn sich ihre Mitglieder bei jeder Aktion, die die Führung anordnet, erst einmal hinsetzen, um zu überlegen und zu beraten. Die Führung berät im Namen aller anderen, und dieser Prozeß ist mehr oder weniger öffentlich, so daß die Mitglieder darüber spekulieren können, auf was die Deliberation ihrer Führungsspitze hinauslaufen wird – und manchmal haben sie die Gelegenheit zum Einspruch. Die Organisatoren versuchen jedoch, die Leute davon zu überzeugen, vereint zu handeln, anstatt sich als spekulierende oder deliberierende Individuen zu betätigen.

3. *Mobilisierung.* Die politische Aktion im großen Stil verlangt mehr als nur Organisation. Die Frauen und Männer müssen interessiert, provoziert, in Schwung gebracht, mit Begeisterung erfüllt und ›zu den Waffen gerufen‹ werden. Die militärische Metapher ist durchaus angebracht: Eine Armee kann eine untätige Organisation sein, die sich in Reserve befindet, während die Soldaten in ihren Lagern sitzen, ihre Waffen reinigen und mitunter exerzieren. Sollen sie im Kampf eingesetzt werden, müssen sie mobilisiert werden. Etwas Ähnliches gilt im politischen Leben.

Gewöhnliche Mitglieder müssen wenigstens für die Dauer einer bestimmten Aktivität in kämpferische Mitglieder verwandelt werden. Hierfür ist ein spezieller, intensiver Typus von Agitprop notwendig, um ihr Interesse zu wecken, ihre Energien zu bündeln und die Reihen fest zu schließen – so daß sie beispielsweise das Parteimanifest tatsächlich lesen, in dessen Sinne argumentieren und bei Parteikundgebungen mitmarschieren, Fahnen tragen und Parolen rufen. Ich weiß, daß das Bild Parolen schreiender Volksmassen die deliberativ eingestellten Demokraten an antidemokratische Politik denken läßt. Aber der Charakter der Politik hängt von den Parolen ab, und diese sind oft prodemokratisch gewesen. Was als Kampf für die deliberative Demokratie bezeichnet werden kann, das heißt als Kampf für politische Gleichheit, eine freie Presse, Vereinsfreiheit, Bürgerrechte der Minderheiten usw., hat in Wahrheit sehr viele lautstarke Parolen erfordert. Es ist gar nicht einfach, sich eine demokratische Politik vorzustellen, für die die Mobilisierung der Basis überflüssig wäre. Ob das überhaupt unser Ideal sein sollte, ist eine Frage, zu der ich erst am Ende meiner Liste kommen werde.

4. *Demonstration.* Der Zweck der demokratischen Mobilisierung ist nicht etwa, Regierungsämter zu stürmen und buchstäblich die Staatsmacht zu ergreifen, sondern persönlichen Einsatz und zahlenmäßige Stärke zu demonstrieren sowie die Parteidoktrin zu bezeugen – wobei zweifellos jeder einzelne Beweis politischer Präsenz für die Macht der Basis entscheidend ist. So sind der Protestzug, der Aufmarsch, die Parteikundgebung, Spruchbänder und Fahnen, die Rufe der Teilnehmer, die Rhetorik der Sprecher und der stürmische Beifall, den diese auslösen soll, zu erklären. Hier ist kein Platz für stille Überlegung, denn das würde der Welt nicht zeigen, wie ernst es diesen Menschen mit ihrem Anliegen ist; es würde ihr leidenschaftliches Engagement und ihre Solidarität, ihre Entschlossenheit, ein bestimmtes politisches Ergebnis herbeizuführen, nicht allen sichtbar machen. Man hat also die Absicht, etwas zu demonstrieren: eine Botschaft zu verkünden – manchmal allgemeiner gefaßt an die Mitbürger, manchmal enger gefaßt an eine fest verankerte Elite. Die Botschaft lautet folgendermaßen: Hier stehen wir. Wir glauben, daß dies getan werden muß. Und wir glauben das nicht unverbindlich. Es ist nicht eine »Meinung« von der Art, wie sie vielleicht bei einer Meinungsumfrage erfaßt wird, es ist nicht etwas, was wir heute denken und übermorgen vielleicht noch denken oder nicht mehr denken. Wir werden so lange zurückkommen, bis wir Erfolg haben. Und wenn ihr mit eurem politischen Geschäft wie gewohnt weitermachen wollt, solltet ihr uns in diesem Punkt (oder in diesem 17-Punkte-Katalog) besser entgegenkommen. All das kann natürlich auf eine fanatische Weise gesagt werden, die statt politischer Entschlossenheit einen ideologischen oder religiösen Absolutismus widerspiegelt. Doch wenn man heute Einsatz und Überzeugung demonstriert, schließt das nicht aus, daß man später verhandelt. Diese Kombination läßt sich sowohl zur Verteidigung demokratischer Rechte einsetzen – des Rechts zu wählen oder zu streiken oder frei zu koalieren – wie auch zur Verteidigung tatsächlich umgesetzter, aber umstrittener Reformen, wie der Prohibition, des Schußwaffengesetzes oder des Mindestlohns. Was verschiedentlich der Fall gewesen ist.

5. *Stellungnahme.* Das Ziel der Demonstration ist, »eine Stellungnahme abzugeben«, die aber auch eine ganz wörtlich gemeinte Form annehmen kann. Ich habe bereits das Parteimanifest erwähnt, dem die kämpferischen Mitglieder beipflichten und das sie wiederholen. Manchmal ist es politisch nützlich, das Manifest auf ein Credo oder eine Deklaration zu verkürzen, die diese oder jene ideologische Überzeugung bekräftigt – ähnlich dem Glaubensbekenntnis einer Religionsgemeinschaft –, oder eine Stellungnahme zu einem aktuelleren Problem auszuarbeiten und dann Leute zur Unterzeichnung aufzufordern. Die Veröffentlichung des Credos mit den beigegebenen Unterzeichnernamen signalisiert der Welt das Engagement dieser Leute, ihre Bereitschaft, öffentlich Stellung zu beziehen. Die Verfasser des Credos werden wohl darüber beraten haben, *was* sie sagen wollen; mehr aber werden sie vermutlich darüber beraten haben, *wie* sie es sagen. Diejenigen, die um ihre Unterschrift gebeten werden, überlegen wahrscheinlich, ob sie unterschreiben sollen oder nicht. Das Credo selbst hat jedoch die Form einer Bekräftigung, die wohl kaum infolge von Versicherungen der Gegenseite geändert werden wird. In Zeiten eines heftigen politischen Konflikts werden Zeitungen und Zeitschriften mit Erklärungen dieser Art gefüllt sein, mit öffentlichen Stellungnahmen für oder wider diese oder jene Politik. Trotzdem machen sie alle zusammen keine demokratische Deliberation aus, da die unterschiedlichen Kreise der Verfasser und Unterzeichner nicht immer Argumente bringen, und wenn sie Argumente bemühen, lesen sie selten diejenigen der anderen Seite – obwohl sie höchstwahrscheinlich die Liste der Unterzeichnernamen sehr genau durchgehen.

6. ***Debatte.*** Erklärung und Gegenerklärung ergeben so etwas wie eine Debatte, obwohl wir normalerweise erwarten, daß Debattenteilnehmer direkt miteinander sprechen, schneller und spontaner aufeinander reagieren, erhitzter ihren Schlagabtausch führen, als das beim formalen Austausch von Credos und von Deklarationen möglich ist. Die Teilnehmer eines Streitgesprächs müssen einander zuhören, aber in diesem Fall wird durch das Zuhören kein deliberativer Prozeß in Gang gesetzt. Denn sie wollen gar keine Übereinstimmung untereinander erzielen, sondern die Debatte für sich entscheiden. Das heißt, sie wollen das Publikum davon überzeugen, daß diese Position, und nicht irgendeine alternative Position, die beste ist. Es mag wohl sein, daß Mitglieder des Publikums dann unter sich oder für sich in eine Deliberation eintreten – indem sie die unterschiedlichen Positionen im Geiste noch einmal durchgehen. Eine Debatte ist jedoch ein Wettkampf zwischen Verbalathleten, und das Ziel ist, den Sieg davonzutra-

gen. Die Mittel dazu sind rhetorische Geschicklichkeit, Einsatz günstiger Evidenzen (wie auch die Unterdrückung ungünstiger Evidenzen), die Diskreditierung anderer Debattenteilnehmer, der Appell an Autorität oder Berühmtheit usw. Zu Wahlzeiten tritt all dies bei den Debatten der Parteien in den Parlamenten und Gremien und bei den Debatten zwischen den Kandidaten offen zutage. Aber auch auf der Vortragsreise, in Zeitungen und Zeitschriften sind diese Mittel üblich, sobald Vertreter verschiedener Positionen herausgefordert werden, sich auf die Argumente anderer einzulassen. Die anderen sind Rivalen, nicht Mitstreiter, sie sind bereits festgelegt und nicht mehr zu überzeugen. Man zielt auf die Leute im Publikum ab – obgleich viele von ihnen nur gekommen sind, um ihre eigene Seite anzufeuern, was ebenfalls eine nützliche politische Aktivität sein kann.

7. ***Verhandeln.*** Manchmal sind die Positionen, die auf dieser oder jener Demonstration, in einem Manifest oder einer Debatte verteidigt werden, aus der Deliberation hervorgegangen. Recht häufig sind sie allerdings die Ergebnisse langwieriger und komplizierter Verhandlungen zwischen Individuen, die mit Interessen und Meinungen auftreten. Das heißt, sie entsprechen nicht irgend jemandes Idee des besten Standpunktes in der Sache. Es handelt sich um Kompromisse, mit denen niemand völlig zufrieden ist. Sie spiegeln das Gleichgewicht der Kräfte, nicht das Gewicht der Argumente. Normalerweise wird mit dem Verhandeln erst begonnen, wenn die jeweilige Stärke der beteiligten Parteien erprobt worden ist. Manchmal will man mit Verhandlungen ein weiteres kostspieliges oder verlustreiches Kräftemessen vermeiden. Die Parteien einigen sich dann darauf, in dem Konflikt die Mitte zu suchen, wobei der genaue Verlauf der Kompromißlinie vom vorausgegangenen Kräftemessen abhängt.[3] »Kandidaten-

[3] Siehe die interessante Erörterung des Verhandelns in Jürgen Habermas, *Faktizität und Geltung. Beiträge zur Diskurstheorie des Rechts und des demokrati-*

listen nach Proporz« kommen auf dieselbe Art zustande. Die Regierungspolitik eines demokratischen Staates ist viel häufiger das Resultat eines derartigen Verhandlungsprozesses als irgendeines deliberativen Prozesses. Die beste politische Programmatik ist diejenige, die der größten Zahl von Interessen entgegenkommt, oder besser gesagt, die genau denjenigen Interessen entgegenkommt, die imstande sind, sich politisch durchzusetzen (weshalb Organisation und Mobilisierung so wichtig sind). Ich kann mir Menschen vorstellen, die darüber diskutieren, wie man dem über alle partikularen Interessen hinausreichenden Gemeinwohl dienen kann, und die zugleich einschränkend sagen, daß damit den partikularen Interessen ebenfalls gedient sein müsse. Das ist jedoch eine ganz erhebliche Einschränkung, und das Ergebnis kommt einem Geben und Nehmen viel näher als der Deliberation. Gutmann und Thompson sprechen sich dafür aus, zwischen Verhandlungen im »Eigeninteresse« und beiderseitigem Entgegenkommen zu unterscheiden – wobei letzteres eher einen echten deliberativen Prozeß darstellt.[4] Ich vermute aber, daß Gegenseitigkeit im politischen Leben stets vom Interesse näher bestimmt und vom Konflikt ausgelotet wird. Was die Deliberation vom Verhandeln abgrenzt, wird dann erkennbar, wenn wir uns das Beispiel eines Schöffengerichts oder eines Richtergremiums vor Augen führen. Wir wollen nicht, daß Geschworene oder Richter in einem strafrechtlichen Fall miteinander verhandeln oder sogar um einen Kompromiß feilschen: »Ich werde mich dir im ersten Anklagepunkt anschließen, wenn du mir in den Anklagepunkten zwei und drei zustimmst.« Wir wollen vielmehr, daß sie das Beweismaterial so gut gewichten, wie

schen Rechtsstaats, Frankfurt am Main (Suhrkamp) 1992, S. 204–207. Diese Erörterung endet mit einem Programm zur ethischen Regulierung des Verhandlungsprozesses. So sollen sich Verhandlungen so weit wie möglich der Deliberation annähern und Ergebnisse verhindert werden, die vom Kräftemessen bestimmt sind. Siehe auch die Kapitel 7 und 8 passim.

4 *Democracy and Disagreement*, S. 43, S. 349 ff.

sie können, und dann ein Verdikt abgeben, nämlich ein wahres Urteil (*verum dictum*) über Schuld oder Unschuld sprechen. Politiker hingegen können legitimerweise genau so handeln, wie es Geschworenen und Richtern untersagt ist. Und im Grunde genommen ist ein Handel oft der bessere Teil politischer Klugheit.

8. *Lobbyismus.* Die pflegliche Behandlung öffentlicher Amtsträger durch private Interessengruppen ist sowohl in der Demokratie als auch unter nicht-demokratischen Voraussetzungen in der Politik allgemein verbreitet. In den Demokratien werden die privaten Interessengruppen eher dahin tendieren, mit den Amtsträgern zu diskutieren (anstatt lediglich mit ihnen zu verhandeln) oder sie zumindest mit Argumenten zu versorgen. Denn auf demokratische Weise verantwortliche Funktionäre werden ihre Positionen auf dem einen oder anderen offenen Forum verteidigen müssen. Der wirksamste Lobbyismus beinhaltet gleichwohl die Herstellung enger, persönlicher Beziehungen, er beruht auf sozialen Netzwerken und individuell geprägten Freundschaften. Ein guter Lobbyist gleicht mit Charme, Zugang zu bestimmten Kreisen und Insiderwissen das aus, was ihm an Argumenten fehlt. Die Argumente, die er tatsächlich vorbringt, werden oftmals weniger mit den aktuellen Problemen als mit der politischen Zukunft des Funktionärs zu tun haben, den der Lobbyist bearbeitet.

9. *Kampagnen.* Gelegentlich wird diese militärische Metapher verwendet, um auf irgendein koordiniertes Programm zu verweisen, mit dem für eine bestimmte Sache organisiert, mobilisiert und demonstriert wird oder dergleichen mehr. Ich möchte hier aber nur Wahlkampagnen beschreiben, also das demokratische Werben um die Wählergunst. Die Wahlkampagne umfaßt offenkundig im wesentlichen diejenigen Aktivitäten, die ich bislang aufgelistet habe, hat aber außerdem noch einen besonderen Charakter. Zum Teil schon deswegen, weil die Wahlkampagnen selbst dann, wenn die politischen Parteien stark sind, auf bestimmte Figuren konzentriert sind, auf Führungspersönlichkeiten mit Namen, Gesichtern und Lebensgeschichten, die auch Programme verkörpern. Diese Führungspersönlichkeiten tragen die Hauptlast der Kampagne, indem sie aktiv um die Stimmen ihrer Mitbürger werben, Versprechen abgeben, einen vertrauenswürdigen Eindruck zu erwecken versuchen und bemüht sind, ihre Gegner vertrauensunwürdig erscheinen zu lassen. Wir können uns vorstellen, daß sie innerhalb bestimmter Grenzen arbeiten, im Rahmen rechtlicher oder moralischer Regeln beispielsweise, die »faires Vorgehen in Kampagnen« definieren. Tatsache ist, daß es heute praktisch keine gültigen Grenzen gibt, mit Ausnahme derer, die die öffentliche Meinung erzwingt. Wie würden die Regeln einer fairen Wahlkampagne aussehen? Sie würden sicherlich wenig Ähnlichkeit besitzen mit den Regeln, die bestimmen, was in einem Gerichtssaal gesagt werden darf und was nicht. Der Grund dafür ist auch hier wieder, daß wir nicht glauben, Wähler seien, anders als Politiker, eher wie Geschworene oder Richter einzuschätzen.

10. ***Wahlen.*** Was sollten Staatsbürger tun, wenn sie wählen? Sie sollten sich natürlich damit befassen, welche Argumente von den verschiedenen Kandidaten vorgebracht werden und mit welchen Wahlprogrammen die Parteien antreten. Sie sollten darüber nachdenken, welche Folgen der Sieg dieses oder jenes Kandidaten hat, und zwar nicht nur für sie selbst, sondern auch für die unterschiedlichen Gruppen, denen sie angehören, und für das Land als Ganzes gesehen. Dennoch ist die Menge der Bürger kein Auswahlkomitee, das darüber berät, wer als qualifizierter Kandidat für den Senat oder die Präsidentschaft in Frage kommt. Die Mitglieder eines Auswahlkomitees gleichen Geschworenen und Richtern, insofern man bei ihnen (manchmal irrtümlich) davon ausgeht, daß sie ein allgemeines Verständnis der relevanten Qualifikationen besitzen und bei der sorgfältigen Beratung über die

Kandidaten unparteilich zu Werke gehen. Keine dieser beiden Annahmen ist im Falle der Wahlbürger gerechtfertigt. Einige von ihnen glauben vielleicht, Zähigkeit und Engagement in dieser oder jener Frage qualifizierten jemanden für die Präsidentschaft, während andere glauben, die Fähigkeit, in all diesen Fragen Kompromisse zu erzielen, sei die beste Qualifikation. Manche identifizieren sich möglicherweise mit Kandidat X, weil er in der Vergangenheit ihre Interessen oder Werte verteidigt hat, oder mit Kandidat Y, weil er ein Mitglied ihrer ethnischen Gruppe oder Religionsgemeinschaft, ihrer Gewerkschaft oder Interessengruppe ist oder weil sie durch seine politische Geschichte an ihre eigene Geschichte erinnert werden. Selbstverständlich erwarten wir von den Wählern, daß sie die verfügbaren Informationen sorgfältig berücksichtigen und über die Argumente der konkurrierenden Kandidaten und Parteien gründlich nachdenken. Sie haben sich aber nicht disqualifiziert, wenn sie aufgrund ihrer aktuellen Interessen oder langfristigen Verpflichtungen nicht jedem der Bewerber die gleiche Aufmerksamkeit schenken können oder wollen. Sie werden auch nicht daran gehindert, den Themen, auf die sie ihre Aufmerksamkeit richten, aus nicht-deliberativen Gründen den Vorzug zu geben. Die Wähler haben in der Tat ein Recht darauf, Themen und Kandidaten gleichermaßen in bezug auf ihre Interessen, ihre Leidenschaften oder ihre ideologischen Verpflichtungen auszuwählen. Und die Mehrheit der Wähler tut genau das. Vielleicht ist es generell so, daß die Themen, zu denen sich die Bürger deliberativ verhalten (oder eben nicht), durch einen politischen Prozeß auf die Tagesordnung kommen, der größtenteils nicht-deliberativ ist. Erst durch die Mobilisierung von Leidenschaften und Interessen sind wir gezwungen, auf das einzugehen, was (nunmehr infolge der Mobilisierung) die »Frage« der Armut, der Korruption oder der Ausbeutung ist.

11. ***Spendenwerbung.*** Ohne Geld ist in der Politik nicht viel zu machen. Selbst vor dem Zeitalter des Fernsehens mußte Geld beschafft werden, um Gehälter und Büros, Flugblätter, Rundschreiben, Anzeigen und Massenbriefsendungen, Reisekosten, Sitzungssäle und Parteikonferenzen zu bezahlen. Nichts ist im politischen Leben gewöhnlicher als die vielfältigen Tätigkeiten, die in die Rubrik der Spendenwerbung fallen. In den Vereinigten Staaten sind diese Aktivitäten historisch betrachtet wahrscheinlich die besten Beispiele für partizipatorische Demokratie – weil sie gerade nicht darin bestehen, politische Themen zu analysieren, Positionen in der Öffentlichkeit zu vertreten, Reden zu halten oder in deliberativen Ausschüssen zu sitzen. Reiche Leute um Spenden bitten ist natürlich nicht die Aufgabe gewöhnlicher Bürger, doch die Geldbeschaffung in kleinerer Größenordnung – Tombolas, Flohmärkte, Kuchenbasare, Abendgesellschaften und Tanzveranstaltungen, »den Hut herumgehen lassen« – ist tatsächlich eine Beschäftigung der Massen, in die Tausende von Männern und Frauen einbezogen sind. Und es kann gar keinen Zweifel geben, daß so beschafftes Geld eine Bindung herstellt: Diejenigen, die es gegeben haben, und diejenigen, die zu seiner Einwerbung beigetragen haben, sind der Sache gegenüber loyaler oder länger loyal als diejenigen, die lediglich Anlaß haben zu glauben, daß es sich um eine gerechte Sache handelt.

12. ***Korruption.*** Dieser stark wertende Ausdruck beschreibt eine Reihe von Aktivitäten, die von einer demokratischen Politik ausgeschlossen sein sollten, darunter die glatte Bestechung und die Erpressung im Amt als offensichtlichste und vermutlich verbreitetste Formen. Die Korruption ist mein einziges negatives Beispiel, und was mich hier interessiert, ist das Argument für ihren Ausschluß. Bestechung ist zwar gewiß eine nicht-deliberative Tätigkeit (obwohl ihre Protagonisten vielleicht gemeinsam überlegen, wen man am besten besticht und wieviel man bietet), doch wichtiger ist, daß sie eine Aktivität darstellt, die mit der Deliberation kollidiert. Das erklärt, warum sie in manchen Bereichen der Gesellschaft und des Staates untersagt ist, es erklärt aber nicht, warum sie im primären politischen Geschehen, in der Arena der Wahlkampfpolitik, verboten ist. Die Bestechung von Geschworenen und Richtern ist falsch, weil sie zu einem Ergebnis führt, das keinen unparteilichen deliberativen Prozeß wiedergibt. Die Bestechung von Staatsbeamten, die Lizenzen oder Stipendien vergeben, ist falsch, weil sie zu einem Ergebnis führt, das keine ehrliche Suche nach lohnenswerten Projekten oder qualifizierten Bewerbern ausdrückt. Die Bestechung von Wählern ist aber nur deshalb falsch, weil sie die demokratische Vertretung der Wähler selbst beeinträchtigt und nicht irgendeine Tätigkeit, die von ihnen gefordert wird. Wir erhalten kein genaues Bild ihrer Interessen, Sorgen oder Meinungen. Dem Ergebnis mangelt es an demokratischer Legitimität, es ist aber nicht illegitim, weil die unparteiliche Vernunft bei seinem Zustandekommen keine Rolle gespielt hat. Ein Kandidat, der verspricht, die Arbeitslosigkeit zu senken, appelliert damit, könnte man sagen, an die unreflektierten Interessen der Arbeitslosen (und die ihrer Verwandten und Freunde). Und dennoch korrumpiert sein Appell keineswegs den politischen Prozeß. Vielmehr ist ein wichtiges und völlig legitimes Resultat seines Appells, daß wir erfahren, wie viele Menschen diese partikularen Interessen teilen und ihnen hohe Priorität einräumen. Zulässig ist hingegen nicht, daß der Kandidat die Stimmen der Arbeitslosen kauft.

13. ***Kleinarbeit.***[5] Viel von dem, was für politische Beteiligung gehalten wird, viel von der Aktivität, die für den Erfolg von Organisationen und Kampagnen entscheidend ist, ist schlicht und ergreifend langweilige und eintönige Arbeit, die keinerlei intrinsisch politischen Charakter hat – wie zum Beispiel Briefe in Umschläge eintüten, Stühle aufstellen, Aushänge vorbereiten, Flug-

[5] Im Englischen *scut work*, amerikanischer Slang für belanglose oder unbedeutende Arbeit. Im Englischen des 19. Jahrhunderts bezog sich »scut« auf einen »contemptible fellow«, einen gemeinen Kerl.

blätter verteilen, Leute anrufen (um sie nach ihrer Unterschrift oder nach Geld zu fragen oder damit sie zu Sitzungen kommen oder zur Wahl gehen), an Türen klopfen (zu demselben Zweck), bei Parteikonferenzen am Büchertisch sitzen usw. Nichts davon erfordert viel Nachdenken, obschon es oftmals viele gewundene Gedanken kostet und sogar einigen Einfallsreichtum verlangt, um sich selbst dafür zu motivieren. Da Kleinarbeit notwendig ist – »einer muß es ja tun« –, lohnt es sich, einen Augenblick bei der Frage zu verweilen, wie die Kleinarbeit letztlich doch erledigt wird. Offenkundig spielt das Überzeugtsein eine größere Rolle dabei, aber ich denke, wichtig ist, daß sich dieses Überzeugtsein in einem Konkurrenzsystem behaupten muß. Die spannungsgeladene Wettbewerbssituation, die Stimmung vor einem möglichen Sieg, die Angst vor der Niederlage – all das drängt die Menschen, Aufgaben zu übernehmen, die sie sonst nur ungern ausführen würden. Selbst wenn die Politik gefährlich zu werden beginnt, ist es nicht sehr schwierig, Leute zu finden, die Kleinarbeit erledigen: Die Gefahr hat ihre eigenen Reize. Wirklich deliberativ eingestellte Männer und Frauen werden wohl auch dann kaum gewillt sein, Briefsendungen einzutüten, wenn niemand damit droht, die Briefekleber zusammenzuschlagen. Sie sind höchstwahrscheinlich zu sehr damit beschäftigt, Thesenpapiere zu lesen, und Konkurrenzgefühle lassen sie vermutlich kalt. Daß die Kleinarbeit trotzdem regelmäßig erledigt wird, zeigt wohl am deutlichsten, daß die nicht-deliberative politische Aktivität auch eine gewisse Anziehung auszuüben vermag.

14. *Regieren.* Wenn die Kleinarbeit dem unteren Ende politischer Tätigkeiten entspricht, so entspricht das Regieren dem oberen Ende. Aristoteles definierte die Staatsbürgerschaft in einer Demokratie als »regieren und wiederum regiert werden«. Doch allein das erste wird gemeinhin geschätzt, die Hinnahme des »Regiertwerdens« ist ein Zugeständnis an die Grundsätze der Demokratie. Wenn jeder einmal die Erfahrung des Regierens machen soll, müssen wir reihum abwechseln. In der Praxis ist es natürlich so, daß einige lange Zeit regieren, während andere die ganze Zeit regiert werden. Was das demokratische Regieren von undemokratischer Herrschaft unterscheidet, ist die Legitimation der Regierenden durch die Zustimmung der Regierten. Doch einmal abgesehen davon, ob ihr Regieren legitimiert ist oder nicht (selbst in Demokratien gibt es noch Herrschaft), ist das Regieren für die meisten Regierenden eine angenehme Tätigkeit. Aristoteles glaubte wahrscheinlich, daß ein Teil dieser Annehmlichkeit auf die Ausübung der Vernunft in großem Maßstab zurückzuführen sei, da die Regierungstätigkeit gleichsam die gesamte Agenda öffentlicher Themen umfaßt. In diesem Sinne ist das Regieren eine deliberative Tätigkeit. Aber die Annehmlichkeiten des Befehlens sind keinesfalls durch und durch rationaler Art, sonst würden die Menschen das Regieren nicht mit solcher Leidenschaft erstreben. Und manchmal wollen wir ja Regierende, die nicht geneigt sind, allzuviel zu deliberieren, damit es von ihnen nicht wie von Shakespeares Hamlet heißt – »und des Entschlusses angeborne Farbe krankt, übertüncht von der Gedanken Blässe«.[6]

II

So sieht meine Liste aus, und es ist eine große Frage, ob die Deliberation darauf gestanden hätte, wenn ich nicht gleich am Anfang »Deliberation ... und was sonst?« gefragt hätte. Gehört die Deliberation in die gleiche Reihe von Begriffen wie »Organisa-

[6] »So macht Bedenken jeden von uns feige, / Und des Entschlusses angeborne Farbe krankt, übertüncht von der Gedanken Blässe, / und mancher hohe, folgenschwere Vorsatz / Gerät aus diesem Grunde aus der Bahn.« Hamlet, Akt III, Szene 1, in: Erich Fried, *Shakespeare*. 27 Stücke, hg. von Friedemar Apel, Berlin (Wagenbach) 1989, S. 414.

tion«, »Mobilisierung«, »Demonstration« und so weiter? Wenn wir das, was Geschworene oder Richter tun, als Modell für einen deliberativen Prozeß auffassen, sicherlich nicht. Gerichte sind natürlich politische Institutionen, insofern sie in Verfassungsstrukturen existieren und sich manchmal mit Funktionsträgern in Konflikt befinden, die die legislative oder exekutive Gewalt ausüben. Politische Überlegungen sollten aber dann ausgeschlossen sein, wenn ein zivilrechtliches oder strafrechtliches Verfahren seinen Gang geht. Der Grund für die Unzulässigkeit politischer Überlegungen ist eine Unterstellung, die wir unwillkürlich machen, daß es nämlich nur ein einziges gerechtes Prozeßergebnis gibt, das Geschworene und Richter mit vereinten Kräften suchen oder suchen sollten. Im politischen Leben, das nicht bloß Kontrahenten kennt, sondern von Natur aus dauerhaft konfliktiv angelegt ist, ist eine solche Unterstellung nicht möglich. Sehr wenige politische Entscheidungen sind echte »Verdikte« im eigentlichen Wortsinne. Damit will ich nicht sagen, daß wir nicht manchmal darauf bestehen können, daß es moralisch richtig und vielleicht geboten ist, X zu tun. Aber selbst dann, wenn man sich einig ist, was X ist und daß X zu tun notwendig ist, kann es noch manche Meinungsverschiedenheit geben, wie X zu geschehen hat oder wann man damit beginnen soll und auf wessen Kosten.

Man muß nicht Carl Schmitts Politikauffassung übernehmen, um zu erkennen, daß verschiedene Interessen und ideologische Verpflichtungen in vielen Fällen unversöhnlich sind. Gewiß, die Konfliktparteien verhandeln miteinander, einigen sich und versöhnen sich dann mit der Einigung. Aber bei den Beteiligten bleibt leicht das Gefühl zurück, daß in dem Verhandlungsprozeß etwas auf der Strecke geblieben ist. Sie behalten sich daher das Recht vor, die Diskussion wieder zu eröffnen, sobald ihnen die Umstände gewogener erscheinen. Wir schützen zwar Verbrecher vor einer zweiten Strafverfolgung in derselben Sache, aber wir schützen Politiker nicht vor wiederholten Anfechtungen in derselben Frage. Dauerhafte Lösungen sind im politischen Leben gerade deshalb selten, weil wir kein Verfahren haben, wie wir zu etwas gelangen, was einem »Verdikt«, einem Urteilsspruch, in umstrittenen Fragen gleicht. Leidenschaften verblassen, Männer und Frauen lösen sich von bestimmten Verpflichtungen, Interessengruppen bilden neue Gruppierungen, die Welt ändert sich. Doch bestimmte tiefgreifende Meinungsverschiedenheiten wie die zwischen Rechten und Linken halten sich bemerkenswert hartnäckig, und regional begrenzte Formen eines religiösen oder ethnischen Konflikts sind häufig so sehr mit der politischen Kultur verwachsen, daß sie den Beteiligten völlig natürlich erscheinen. Die Politik besteht also in der endlosen Wiederaufnahme dieser Meinungsverschiedenheiten und Konflikte, in dem Kampf, sie zu bewältigen und einzuhegen und gleichzeitig so viele vorläufige Siege zu erringen wie irgend möglich. Der demokratische Weg zum Sieg heißt, mehr Menschen politisch bilden, organisieren, mobilisieren ... als die Gegenseite. Das »Mehr« ist das, was den Sieg legitimiert, und obschon die Legitimität gestärkt wird, wenn für hochgehandelte substantielle Fragen gute Argumente vorgebracht werden, wird der Sieg selten mit guten Argumenten gewonnen.

Aber sollten wir nicht wenigstens damit anfangen, daß wir die bestmöglichen Argumente erarbeiten? Die Theoretiker der Deliberation behaupten, dies sei so etwas wie ein moralisches Erfordernis. Die Anerkennung anderer als vernünftige Männer und Frauen, die fähig sind, die Kraft unserer Behauptungen einzusehen (oder uns von der Kraft *ihrer* Behauptungen zu überzeugen, obwohl dies stets als weniger wahrscheinlich angenommen wird), führe konsequenterweise zur Deliberation. Es gibt jedoch noch eine weitere Möglichkeit, die anderen anzuerkennen: nämlich nicht bloß als Individuen, die in genau derselben Weise vernünftig sind, wie wir selbst, sondern als Angehörige von Gruppen, die Überzeugungen und Interessen haben, welche ihnen ebensoviel bedeuten, wie unsere Überzeugungen und

Interessen uns bedeuten. Wenn die Deliberation aus der ersten Form der Anerkennung folgt, so folgt das Verhandeln aus der zweiten. Im politischen Leben ist in vielen Fällen die zweite Form nicht nur angebrachter, sondern auch moralisch angemessen: Je besser wir die Unterschiede verstehen, die tatsächlich vorhanden sind, und je mehr wir die Menschen auf der »anderen Seite« respektieren, desto eher sehen wir ein, daß das, was wir brauchen, nicht eine rationale Einigung, sondern ein Modus vivendi ist.

Es ist aber nicht nur die Dauerhaftigkeit des Konflikts, die erklärt, warum die Deliberation auf meiner Liste nicht vorkommt, sondern spezieller noch die herrschende Verbreitung von Ungleichheit. Sofern die Überlieferung der politischen Geschichte nicht ideologisch gelenkt wird, ist sie zumeist eine geschichtliche Erzählung vom allmählichen Aufbau oder Ausbau von Hierarchien, die sich auf Reichtum und Macht gründen. Einige Menschen erkämpfen sich ihren Weg an die Spitze dieser Hierarchien und agieren dann so geschickt wie möglich, um ihre Stellung zu behaupten. Die »herrschende Klasse« ist vermutlich weniger in sich geschlossen, als es die marxistische Theorie nahelegt, gleichwohl existiert so etwas wie eine »herrschende Klasse« mit mehr oder weniger ausgeprägtem Selbstbewußtsein und Selbsterhaltungsstreben. Basisorganisation und Massenmobilisierung sind die einzigen Mittel, mit denen man diesem Streben nach Klassenerhalt etwas entgegensetzen kann. Was diese Mittel bewirken, ist keine Einebnung der Hierarchien – zumindest ist das nie der Fall gewesen. Sie erreichen vielmehr eine Auflockerung der Hierarchien, führen ihnen neue Leute zu und setzen vielleicht den Differenzierungen, die durch die Hierarchien definiert und befestigt werden, Grenzen. Auf diese Weise ermöglicht die demokratische Politik eine verbesserte Version politischer Geschichte: Nun ist es die geschichtliche Erzählung der Etablierung *und teilweisen Beseitigung* von Ungleichheit. Ich sehe offen gestanden keine Möglichkeit, wie die endlose Wiederholung dieser Erzählung vermeidbar sein könnte. Nichtsdestotrotz sind natürlich manche Formen der Etablierung von Ungleichheit schlimmer als andere, und gewiß gerät der eine Ausgleich von Ungleichheit vollständiger als der andere. Ich sehe aber vor allem keine Möglichkeit, den unablässig erneuerten Kampf um Beseitigung von Ungleichheit durch einen deliberativen Prozeß zu ersetzen.

Die deliberative Demokratie ist zweifellos eine egalitaristische Theorie. Sie setzt die Gleichheit der Männer und Frauen, die miteinander sprechen und beraten, voraus, und auf dieser Grundlage erzeugt und rechtfertigt sie egalitaristische Entscheidungen. Der Prozeß ist bewußt so angelegt, daß der Vorwurf unterbunden wird, die beste Auffassung der besten Denker, die unter besten Bedingungen beraten, spiegele nichts als die Interessen der maßgeblichen Kräfte (nach dem Motto, »die herrschenden Ideen [...] sind die Ideen der herrschenden Klasse«). Ein richtiggehend deliberativer Prozeß schließt jene mächtigen Interessen ganz und gar aus – indem er den Teilnehmern abverlangt, hinter dem Schleier der Unwissenheit zu beraten, könnte man sagen. Oder er sorgt für einen Interessenausgleich, indem er garantiert, daß alle Teilnehmer, einschließlich der Vertreter schwacher und unterdrückter Gruppen, in den Diskussionen in gleicher Weise vertreten sind. Vorerst sind Zeit und Ort der Realisierung allerdings utopisch, während die Theorie deliberativer Demokratie anscheinend dafür sorgt, daß die einzige Art von Politik, die jemals einen praktischen Egalitarismus begründen könnte, in der realen Gegenwart abgewertet wird. Denn ihre Protagonisten fangen, wie ich schon sagte, in der Deliberation von vornherein als Gleiche an, haben jedoch für diesen prekären Status niemals gekämpft (und wie sie ihn erlangen, ist nicht Thema dieser Theorie). So gesehen, werden ihre idealisierten Diskussionen wohl kaum in irgendeiner tatsächlich existierenden politischen Ordnung realisiert werden oder wirksam werden können.

Sollten wir sie denn realisieren wollen? Ist das unsere Utopie, der Traum überzeugter Demokraten – eine Welt, in der der politische Konflikt, der Klassenkampf, ethnische und religiöse Unterschiede allesamt von der reinen Deliberation abgelöst worden sind? Wie Joseph Schwartz unlängst in seinem Buch *The Permanence of the Political* feststellte, haben sich linksgerichtete Theoretiker vielfach so geäußert, als wäre das ihr endgültiges Ziel.[7] So besagt die marxistische Argumentation: Konflikte entstehen aufgrund von Unterschieden und von Hierarchien; wenn erst der Klassenkampf gewonnen sein wird und eine klassenlose Gesellschaft errichtet worden ist, sobald also die Unterschiede überwunden und die Hierarchie zerstört sein werden, wird der Staat absterben, und die Regierung über Personen wird von der Verwaltung der Sachen abgelöst werden. Das Zeitalter der Politik wird beendet sein. Theorien dieser Art, so behauptet Schwartz ganz richtig, spiegeln ein Unvermögen, die vielen, mannigfaltigen Formen der menschlichen Verschiedenheit und des sozialen Konflikts zu verstehen – geschweige denn, sie positiv aufzunehmen. Es ist vor allem das Unbehagen an der Verschiedenartigkeit, das eine Abneigung gegen Politik und die Phantasie ihrer Abschaffung hervorruft. Die Abschaffung der Politik wird aber höchstwahrscheinlich nicht machbar sein. Es sei denn, man unterdrückt sowohl die Verschiedenartigkeit als auch jeglichen Konflikt, was eine in hohem Maße mit Zwangsmitteln arbeitende Politik erfordern würde. Ich bin sicher, diese Repression würde nur zur Verteidigung von Ideen eingesetzt werden, über die die Theoretiker und ihre Freunde lange und gründlich nachgedacht haben, die sie in einem zwar unvollkommenen, aber nicht unglaubwürdigen deliberativen Rahmen, wie akademischen Seminaren, Gemeinschaften von Intellektuellen

[7] Joseph M. Schwartz, *The Permanence of the Political. A Democratic Critique of the Radical Impulse to Transcend Politics*, Princeton (Princeton University Press) 1995.

im Exil oder Komitees machtferner Avantgardeparteien, ausgiebig diskutiert haben. Überzeugte Demokraten werden die Repression (oder die Ungleichheit, die sie offenkundig beinhaltet) trotzdem nicht billigen wollen.

III

Die Deliberation hat einen Platz in der demokratischen Politik, sie hat sogar einen wichtigen Platz. Aber ich glaube nicht, daß sie einen unabhängigen Platz hat – einen Platz eigenen Rechts sozusagen. Im Bereich der Politik gibt es keinen Ort, der vollständig dem Beratungsraum der Geschworenen gleicht, in dem die Menschen nichts anderes tun sollen, *außer* überlegen und beraten. Und obwohl es vielfach heißt, Politik beinhalte mehr als alles andere die Arbeit in Ausschüssen, gibt es keine politischen Ausschüsse, die im ganzen einem Auswahlkomitee gleichen, das mit der Berufung eines Professors betraut ist, oder einem Preisvergabekomitee, das den besten Roman des Jahres küren soll. Der Auswahlvorgang bei Kandidaten und Preisverleihungen wird natürlich oft politisiert, die Ergebnisse werden dann jedoch auch sehr rasch in Frage gestellt. Von Parteiausschüssen, den Komitees einer Bewegung und selbst den Gremien in Gesetzgebung und Verwaltung erwartet man im Gegensatz dazu vorwiegend politische Überlegungen. Wenigstens werden solche Überlegungen legitimerweise angeführt. Mit dem demokratischen Prozeß würde etwas nicht stimmen, wenn politische Rücksichten überhaupt keine Rolle spielen würden. Stellen wir uns versuchsweise eine Gruppe von Bürokraten vor, die mit großer Ernsthaftigkeit stundenlang berät, um dann das zu tun, was nach ihrer Schlußfolgerung das Richtige ist – ohne die nachweislichen Präferenzen einer Mehrheit der Bevölkerung zu berücksichtigen oder die Interessen irgendwelcher Gruppen einzubeziehen, deren Bündnis die aktuelle Mehrheit darstellt (was aber gerade das ist, was Schwurgerichte bzw. Jurys erwartungsgemäß tun sollen). Die politische Sachentscheidung, zu der die Bürokraten in deliberativer Einstellung gekommen sind, mag durchaus die »beste« sein, sie wäre aber trotzdem nicht die richtige Politik für eine demokratische Regierung.

Die Demokratie benötigt Deliberation, das heißt eine Kultur des Argumentierens, und sie braucht eine Gesellschaft von Staatsbürgern, die wenigstens dem Prinzip nach (und von Zeit zu Zeit auch praktisch) für die besten Argumente offen sind. Das »Argumentieren« läßt sich aber nicht von all den anderen Dingen trennen, die politisch aktive Bürger sonst noch tun. So etwas wie die reine Argumentation, die Deliberation an sich, und eine Anzahl von Leuten, deren Arbeit sie ist oder jemals sein könnte, gibt es nicht. Und für die meisten Auseinandersetzungen des politischen Lebens läßt sich kein Argument finden, das als das beste von allen für Männer und Frauen verschiedenster Weltanschauungen, religiöser Bekenntnisse, wirtschaftlicher Interessen und sozialer Stellung gleichermaßen überzeugend wäre oder sein sollte. Es gibt folglich kein demokratisches Ergebnis, das einfach bloß deliberativ ist, statt im vollen Sinne des Wortes politisch zu sein.

Der passende Ort der Deliberation hängt von anderen Aktivitäten ab, die sie nicht begründet oder steuert. Wir räumen ihr in dem größeren Raum, den wir den eigentlich politischen Aktivitäten vorbehalten haben, einen Platz ein. Das allerdings sollten wir unbedingt tun. So versuchen wir zum Beispiel, ein gewisses Maß ruhiger Überlegung und begründeter Argumentation in die politische Bildungsarbeit einzuführen. Auch Agitprop kann besser oder schlechter sein. Sie ist eindeutig besser, wenn ihre Argumente redlich informiert sind und auf die schwierigsten Fragen, die größten Herausforderungen eingehen, mit denen die Partei oder Bewegung konfrontiert ist. Ebenso können wir uns ein Parteiprogramm vorstellen, das von einer Gruppe von Männern und Frauen entworfen wird, die nicht bloß gut verhandeln können, sondern die sehr durchdachte Vorschläge erarbeiten, die sowohl moralisch gerechtfertigt und ökonomisch realistisch als auch politisch ansprechend sind. Wir können uns einen Verhandlungsprozeß vorstellen, in dem die Beteiligten versuchen, die Interessen der Gegenseite zu verstehen und ihnen entgegenzukommen (während sie die eigenen nach wie vor verteidigen), statt einfach den härtesten Kurs einzuschlagen. Vorstellbar sind Parlamentsdebatten, wo die rivalisierenden Redner einander zuhören und bereit sind, ihre Positionen zu verändern. Und schließlich können wir uns Staatsbürger vorstellen, die tatsächlich an das Gemeinwohl denken, wenn sie Kandidaten und Parteiprogramme begutachten oder wenn sie die von ihren Repräsentanten ausgehandelten Verträge oder deren Argumente beurteilen.

Keine dieser Vorstellungen ist weit hergeholt, selbst wenn sie selten verwirklicht werden. Im Grunde genommen ist die tatsächlich existierende Demokratie bereits eine Argumentationskultur, nur eben auf einem etwas niedrigeren Niveau. So wenn zum Beispiel diejenigen, die treu die alltägliche Kleinarbeit verrichten, über Politik sprechen, während sie dasitzen und Briefsendungen in Umschläge eintüten, und sich eine heftige Auseinandersetzung darüber liefern, ob eine weitere Briefaktion das ist, was die Bewegung zu diesem Zeitpunkt am dringendsten braucht. Was ich hier sage, soll Diskussionen dieser Art – oder einer »höheren« Stufe – keinesfalls verunglimpfen. Diejenigen unter uns, die die Idee einer egalitären Gesellschaft verteidigen wollen, müssen schließlich begründen, daß eine solche Gesellschaft möglich ist, und müssen ein Bild dieser Gesellschaft entwerfen, das so plausibel (und inspirierend) wie möglich ausfallen sollte: Das ist unsere Utopie. Aber die Argumente und Entwürfe werden im schlechten Sinne utopisch sein, nämlich gefühlsselige und selbstbeweihräuchernde Beschreibungen eines »Nirgendwo« – solange wir nicht auch die Männer und Frauen mobilisieren, die die Kränkungen der Klassenzugehörigkeit und die Traumata der Unterordnung wirklich erleben (oder mitempfinden). Diese Menschen sollten sich ebenfalls an den Debatten über das Gemeinwohl, über Gleichheit und über Strategien zur Förderung der Gleichheit beteiligen – freilich immer nur parallel zu und zusammen mit ihrem Engagement für die handfestere Seite der politischen Arbeit.

Meine Hoffnung, die Deliberation werde »parallel zu und zusammen mit« anderen Dingen erfolgen, hat mehr Aussicht, verwirklicht zu werden, wenn demokratisch verantwortliche Aktivisten und Funktionsträger offen politisch tätig sind, politische Aktivität also in aller Öffentlichkeit stattfindet. Denn so, wie die Demokratie auf Argumentation angewiesen ist, wird umgekehrt die Argumentationskultur durch die üblichen demokratischen Institutionen und Praktiken ausgeweitet und gestärkt – Wahlen, Wettbewerb der Parteien, eine freie Presse und so fort. Gibt es noch weitere praktische Regelungen, die den Bürgern helfen oder sie dazu anhalten könnten, über das Gemeinwohl nachzudenken? Das ist eine wichtige Frage, die James Fishkin jüngst in mehreren Büchern überaus einfallsreich behandelt hat.[8] Ich glaube jedoch nicht, daß solche Regelungen, wie sie auch aussehen mögen, die Aktivitäten auf meiner Liste ersetzen können oder sollten. Fishkin spricht sich für die Einrichtung von Bürgerjurys aus, deren Aufgabe es wäre, heikle Fragen staatlicher Politik zu entscheiden oder zumindest Lösungsvorschläge für sie zu erarbeiten. Bei der Zusammensetzung der Jury würde die wissenschaftliche Auswahl eines repräsentativen Querschnitts an die Stelle der üblichen Formen politischer Kandidatur treten, und bei den Jurysitzungen würde die sachliche Erörterung die gewohnten Formen politischer Debatte ersetzen. Dieses Beispiel verweist indes schon auf das zentrale Problem deliberativer De-

[8] Am wichtigsten: James Fishkin, *Democracy and Deliberation. New Directions for Democratic Reform*, New Haven (Yale University Press) 1991.

mokratie: Die Deliberation an sich ist keine Aktivität für den *demos*.[9] Ich will damit nicht sagen, daß gewöhnliche Männer und Frauen nicht die Fähigkeiten besitzen, vernünftig zu argumentieren, sondern lediglich, daß 100 Millionen oder eine Million oder sogar nur 100000 Menschen einsichtigerweise nicht »gemeinsam diskutieren« können. Und es wäre ein großer Fehler, wenn man sie von den Dingen abbringen würde, die sie gemeinsam tun können. Denn dann gäbe es keine organisierte Opposition mehr, die sich gegen die auf Reichtum und Macht gegründeten, etablierten Hierarchien zur Wehr setzen könnte. Das politische Resultat einer solchen Entwicklung ist unschwer vorhersagbar: Die Staatsbürger, die sich zurückziehen, würden Kämpfe verlieren, die sie fraglos gewinnen wollen und in denen sie einen Sieg möglicherweise nötig haben.

In meiner letzten Vorlesung werde ich ein bislang nur angedeutetes Argument weiter ausführen: daß das leidenschaftliche Engagement einer großen Zahl von Menschen für eine demokratische und egalitäre Politik unverzichtbar ist. Die politische Leidenschaft ist etwas, was die liberalen Theoretiker schon immer beunruhigt hat und was sie meistenteils stirnrunzelnd betrachtet haben. Nicht ohne Grund, wie man sagen muß. Und doch birgt eine leidenschaftslose Politik, wie wir sehen werden, ihre eigenen Gefahren – nicht zuletzt die der Niederlage.

[9] Wenn der Zweck der Jurys einfach darin besteht, dem Gemisch an Ideen und Vorschlägen, die bereits in der politischen Arena diskutiert werden, ihre eigenen Schlüsse hinzuzufügen, sind sie in der gleichen Weise nützlich wie Beraterstäbe und Kommissionen des Präsidenten. Wenn für sie irgendeine Art von demokratischer Autorität beansprucht wird, falls also die repräsentative Auswahl die repräsentierte Masse ersetzt, sind sie gefährlich.

3 Leidenschaft und Politik

I

Hinter den derzeitigen theoretischen Debatten über Nationalismus, Identität, Politik und religiösen Fundamentalismus steckt verborgen ein Thema: die Leidenschaft. Gegner dieser Phänomene fürchten die vehemente Rhetorik, das unbesonnene Engagement, die Wut, die sie mit dem Auftreten leidenschaftlicher Männer und Frauen in der politischen Arena verbinden. Außerdem verbinden sie die Leidenschaft mit kollektiver Identifizierung und religiöser Überzeugung – und beide veranlassen die Menschen zu Handlungsweisen, die durch keinerlei rationale Erklärung ihrer Interessen vorhersagbar sind und die aus keinen rational verteidigbaren Prinzipien hervorgehen.

Über Interessen kann man verhandeln, über Prinzipien kann man streiten, und Verhandlungen wie Debatten sind politische Prozesse, die dem Verhalten der Beteiligten ebenso praktisch wie grundsätzlich Grenzen auferlegen. Leidenschaft hingegen kennt dieser Auffassung zufolge keine Grenzen, sie fegt alles beiseite. Stößt sie auf Widerspruch oder gerät sie in Konflikt, drängt sie unaufhaltsam zu gewaltsamen Lösungen. Richtig verstandene Politik, Politik in ihrer vernünftigen und liberalen Version, ist eine Angelegenheit ruhiger Deliberation – oder wenn wir die Argumentation der letzten Vorlesung zumindest teilweise akzeptieren, der gegenseitigen Zugeständnisse, des berechnenden Tauschhandels, der Anpassung und des Kompromisses. Leidenschaft ist demgegenüber immer impulsiv, unvermittelt, will alles oder nichts.

Dennoch sind in vielen Teilen der Welt und auch bei uns eine große Zahl von Menschen sowohl politisch engagiert als auch leidenschaftlich in ihrem Engagement. Das Schauspiel, das sie bieten, ist oft beängstigend. Ich möchte die Angst gar nicht abstreiten – oder leugnen, daß ich Befürchtungen habe. Schuld daran sind nicht nur die allzu zahlreichen Zeitungsmeldungen über abgebrochene Verhandlungen, auf Eis gelegte Debatten, über Verbandsvertreter, die bei Ausschußsitzungen wutentbrannt den Saal verlassen. Und es liegt nicht nur daran, daß so viele Menschen hinter den Fahnen der Identität und des Glaubens hermarschieren – statt hinter denen des wirtschaftlichen Interesses oder politischer Prinzipien.

Leidenschaft wird auch für vernichtende ethnische und religiöse Konflikte mobilisiert, in denen sie zu schrecklichen Grausamkeiten auf beiden Seiten führt: »ethnische Säuberung«, Vergewaltigung und Massaker. Leidenschaft begünstigt den Krieg, und zwar nicht den Krieg aller gegen alle, jeder gegen jeden – denn der Krieg, den Thomas Hobbes beschreibt, ist ja eine rationale Aktivität, die von allgemeinem Mißtrauen und Angst geschürt wird. Nein, Leidenschaft begünstigt den Krieg einiger gegen einige, Gruppe gegen Gruppe, wobei bloßer Haß die treibende Kraft ist.

Wie müssen wir all das verstehen? Ich fange mit der Frage an, wie wir es denn verstehen. Welches Bild machen wir uns vom Platz der Leidenschaft im politischen Leben? Die gegenwärtig unter liberalen Intellektuellen und Akademikern, Vertretern der politischen Theorie und Sozialphilosophie, Journalisten und Kommentatoren verbreitetste Vorstellung (man denke nur an Bosnien oder Ruanda) wird von William Butler Yeats' Gedicht »Der Jüngste Tag« eindrücklich nahegebracht:[1]

[1] William Butler Yeats, *Ein Morgen, Grünes Gras*. Gedichte, Ausgewählt und übertragen von Andrea Paluch u. Robert Habeck, München (Luchterhand) 1998, »The Second Coming« – »Der Jüngste Tag«, S. 40f.

Die Dinge zerfallen, das Zentrum hält nicht mehr;
Absolute Anarchie ergießt sich über die Welt,
Die blutgefärbte Flut ist entfesselt und überall
Wird die Zeremonie der Unschuld ertränkt;
Den Besten fehlt jeder Glauben, während die Schlechtesten
Vor leidenschaftlicher Energie strotzen.

Ich hörte diese Zeilen zum ersten Mal in den späten 40er oder frühen 50er Jahren. Damals, während der McCarthy-Ära, glaubte ich, bis ich eines Besseren belehrt wurde, Yeats sei ein zeitgenössischer amerikanischer Dichter: Er schien mir über meine Zeit zu schreiben, von der ich annahm, sie sei auch seine. Ich vermute, das Gedicht hat diese Wirkung schon öfter hervorgerufen, und werde es daher als meinen Ausgangstext verwenden. Bei Erich Kahler, einem Flüchtling des nationalsozialistischen Deutschland, der das Gedicht im Exil ins Deutsche übersetzte, bin ich mir sicher, daß es diesen Eindruck hinterließ.[2] Ich werde versuchen, die Leidenschaft in der Politik zu verstehen oder einen Ansatz zu ihrem Verständnis zu finden, indem ich die Bedeutung und Wirkung von Yeats' Versen untersuche. Ich werde aber auch im Auge behalten, wie jene Leute tatsächlich in der Welt auftreten, die Yeats »die Besten« und »die Schlechtesten« nennt.

Yeats legt dafür eine Erklärung nahe, oder besser gesagt, diejenigen unter uns, die meinen, sie gehören zu den »Besten«, schließen auf eine Erklärung, die charakteristischerweise selbstkritisch ist. Wir sind der Grund, weshalb das Zentrum nicht mehr hält, der Fehler liegt bei unserer eigenen moralischen und intellektuellen

[2] »Alles fällt auseinander, die Mitte hält nicht mehr; / Bare Anarchie bricht aus über die Welt. / Blutgeblendete Strömungen sind losgelassen. Allenthalben / Wird der heilige Vorgang der Unschuld überschwemmt. / Den Besten erlahmt der Glaube, und die Schlimmsten / Sind voll von leidenschaftlicher Heftigkeit.« »Der Jüngste Tag«, in der Übersetzung von Erich Kahler, in: William Butler Yeats, *Ausgewählte Werke*, Zürich (Coron-Verlag), S. 135. (Den Hinweis verdanke ich Martina Kessel, M.W.)

Schwäche. Wir haben den »Glauben« an unsere Interessen und Grundsätze verloren, und so können wir der »leidenschaftlichen Energie« der anderen nichts entgegensetzen und sie nicht überwinden. Der Unterschied zwischen uns und ihnen ist klar. Wir sind gebildete, intelligente, liberale und vernünftige Menschen, und wenn unsere Überzeugungen stark sind, so ist es die Gesellschaft als Ganzes. Wenn die Welt Sinn macht, wenn Ordnung verstanden und Gerechtigkeit verteidigt wird, wenn die üblichen Anstandsregeln gelten, bilden wir das Zentrum, die Mitte, und halten alles Aufrührerische in Schach. Die Leidenschaft ist mit den anderen verknüpft, mit der »blutgefärbten Flut«, die aus den Tiefen steigt, sobald das Zentrum zusammenbricht (die gemischte Metapher stammt von mir, M.W.). Zu jedem beliebigen Zeitpunkt ist es leicht, die Flut zu identifizieren oder zumindest mit dem Finger auf sie zu weisen; die soziale Analyse ist diesbezüglich etwas weniger eindeutig. Und das Gedicht will offenbar sagen, daß wir in uns die Überzeugung stark machen sollten, aber wohl nicht können, die nötig ist, um sie zurückzudrängen.

Es lag wahrscheinlich nicht in Yeats' Absicht, daß seine Gedichtzeilen so gedeutet werden würden, wie ich es jetzt getan habe. Nach Yvor Winters' überzeugender Interpretation des Gedichts, die es in den Kontext irischer Politik und Yeats' persönlicher, weltgeschichtlicher Mythologie stellt, dachte Yeats an Dubliner Politiker, wenn er von den »Schlechtesten« sprach. Die Dubliner Politiker versuchten in der Folgezeit des Osteraufstandes von 1916 einen demokratischen Staat in Irland zu gründen und sich selbst an dessen Spitze zu setzen (das Gedicht wurde 1919 oder 1920 verfaßt). Das Wort die »Besten« bezieht sich, was nur sprachlich seine Richtigkeit hat, auf die alte anglo-irische Aristokratie, deren Mitgliedern der Wille fehlte, in diesen schwierigen Jahren das Steuer zu übernehmen.[3] Das Ge-

[3] Yvor Winters, *Forms of Discovery. Critical and Historical Essays on the Forms of the Short Poem in English*, ohne Ort (Alan Swallow) 1967, S. 213 f.

dicht will aber nicht darauf hinaus, ihre Schwäche zu kritisieren, denn der Triumph der Schlechtesten ist notwendig, um den Weg für eine jener großen zyklischen Veränderungen frei zu machen, die, wie Yeats glaubte, der Menschheitsgeschichte Form geben. Das »Monster, das nach Bethlehem schlurft«, wie es in den Schlußzeilen des Gedichts heißt, wodurch sich auch dessen Titel erklärt, signalisiert ein neues Zeitalter und eine neue Barbarei, aus der eine neue Aristokratie geboren werden wird. Leidenschaftliche Energie treibt den Prozeß nicht so sehr vorwärts (Yeats war gewiß kein Whig oder der Vertreter einer Fortschrittsmythologie) als vielmehr weiter hinein in Zerstörung und Wiedergeburt.

Als eine Beschreibung der Intentionen des Dichters mag das falsch oder richtig sein, aber Leser waren noch nie an die Intentionen des Autors gebunden, und auch ich werde mich nicht an sie halten. Sie entsprechen nicht dem, was das Gedicht für uns bedeutet. Wir geben dem Gedicht charakteristischerweise abermals eine moralisierende und politisierende Bedeutung, die vor allem dazu dient, leidenschaftliche Energie zu verurteilen und dann den Mangel an fester Überzeugung anzuprangern oder vielleicht auch nur zu beklagen. Es ist diese Bedeutung des Gedichts, oder besser gesagt, diese Gebrauchsweise des Gedichts, die ich untersuchen und kritisieren möchte.

Als erstes ist zu beachten, daß die Ausdrücke nicht umkehrbar sind: Das Gedicht besagt nach dieser Lesart nicht, daß es gut wäre, wenn den Schlechtesten jegliche Überzeugung fehlte und die Besten von leidenschaftlicher Energie erfüllt wären. Die Verknüpfungen des Guten mit der Überzeugung einerseits und des Schlechten mit der Leidenschaft andererseits im Gedicht ergeben sich aus der gängigen polarisierten Bedeutung dieser Begriffe. Ich will damit nicht einfach sagen, daß einer der »Besten« zu sein und Überzeugungen zu haben zusammengehört. Einer der Besten zu sein und keine Überzeugungen zu haben gehört ebenfalls zusammen. Skepsis, Ironie, Zweifel, eine kritische

Denkart – sie alle sind auch Kennzeichen der besten Leute (obwohl Yeats sie vermutlich für Zeichen aristokratischer Dekadenz hielt). Es ist bewundernswert, Überzeugungen zu haben, aber es ist ebenfalls bewundernswert, sich ihrer nicht allzu sicher zu sein. Die Besten, das sind nach dieser Auffassung nicht die Rechtgläubigen, die Parteigänger der Orthodoxie oder ideologisch korrekte Sektierer, denn in dieser Richtung liegt die leidenschaftliche Energie. Der Überzeugung ist vielmehr eine gewisse politische Schwäche eingebaut, weil sie auf der Vernunft beruht und deshalb für Kritik und Widerlegung offen ist. Den Aristokraten mag die moralische Überzeugung angeboren sein, es ist jedoch auch ein Zeichen ihres Adels, wenn sie sich über das, was sie tun sollten, endlos Gedanken machen, wenn ihre Überzeugung, wie in den zuvor zitierten Shakespeare-Zeilen, von »des Gedanken Blässe angekränkelt« ist. Und dann sind wiederum wir besorgt, was ihre Führungskraft anbelangt.

Die Schlechtesten hingegen, insbesondere dann, wenn sie, wie so oft, Intellektuelle sind, haben überhaupt keine Überzeugungen, sondern vielmehr Glaubensinhalte, Doktrinen, Dogmen und Ideologien. Sie alle eignen sich vorzüglich, um Gewißheit zu schaffen, und Gewißheit ist leidenschaftlich und heftig, wenn sie sich militant gibt. Ich glaube, die leidenschaftliche Energie der Schlechtesten läßt sich meistens mit nicht-intellektuellen oder anti-intellektuellen Begriffen wie Heuchelei und Vorurteil ausdrücken. Diese sind aber beide Frucht der doktrinären Haltung. Die Mitglieder einer Gruppe werden die Mitglieder einer anderen erst dann in der entscheidenden Weise hassen, nämlich so, daß das Zentrum zusammenbricht und die »blutgefärbte Flut entfesselt« wird, wenn die zweite Gruppe durch die Doktrin ausdrücklich verurteilt worden ist: mit irgendeiner genetischen oder genealogischen Erklärung ihrer Minderwertigkeit zum Beispiel oder irgendeiner geschichtlichen Darstellung ihrer Verbrechen. Es ist ein verbreiteter Fehler, leidenschaftliche Energie mit Unwissenheit zu verbinden. In Wirklichkeit sind die Schlechtesten durchweg mindestens halbgebildet. Sie stellen eine Gruppe, die wir uns als Kleinbürgertum des intellektuellen Lebens denken können. Sie verfügen zwar über gelehrte Glaubensinhalte, aber nicht über Skepsis. Oder anders gesagt, ihnen fehlt die natürliche Bescheidenheit der Besten, denen eine innere Stimme sagt, sie könnten im Irrtum sein, und die durch langes Nachdenken über diese Möglichkeit die Tugenden der ambivalenten und toleranten Haltung erworben haben.

Es ist also keinesfalls so, daß es den Schlechtesten an Vernunft mangelt, vielmehr ist ihre Vernunft durch Glauben und Dogma in Mitleidenschaft gezogen, während die Vernunft der Besten vom Zweifel, oder denkbar wäre auch Bescheidenheit, entschärft worden ist. Das politische Resultat ist das, was Yeats beschreibt. Die Schlechtesten haben den Mut der Gewißheit, die Besten haben allenfalls den Mut ihrer Ungewißheit. Die politische Auseinandersetzung zwischen ihnen ist zwangsläufig ein ungleicher Kampf.

Sie war es aber nicht immer. Das Gedicht beschreibt den gegenwärtigen Augenblick, unser hier und jetzt, und es legt nahe, daß wir die letzten Tage irgendeines historischen Prozesses miterleben. Es muß nicht unbedingt ein Yeatsscher Zyklus sein. Der Klageruf, daß das Zentrum nicht mehr hält, ist ein Lamento über die vorgerückte Zeit. Einst hat das Zentrum gehalten – sonst wüßten wir ja nicht, daß es das Zentrum ist. Ich bin mir nicht ganz sicher, wie dieses frühere Zeitalter zu beschreiben wäre, doch dessen gängige Darstellungen sind nicht völlig aus der Luft gegriffen. Die Schlechtesten waren damals wirklich unwissend; und aus Unwissenheit fügten sie sich passiv in ihre Unterordnung (und waren deshalb besser, als sie es heute sind). Sie kannten ihren Platz instinktiv. Außerdem waren die Überzeugungen der Besten noch nicht vom Zweifel getrübt, und zwar nicht so sehr wegen ihres Glaubens an Gott, die Natur oder die Geschichte, sondern weil sie an sich selbst glaubten. Vielleicht ist also etwas wahr an der Yeatsschen Mythologie, die das stabile

Zentrum mit einer jungen, aber etablierten Aristokratie assoziiert. Damals waren die Schlechtesten bescheiden, und die Besten waren voller Selbstvertrauen.

II

Ein solches Bild wird von Yeats' Gedicht heraufbeschworen, beziehungsweise es läßt sich dazu verwenden, um ein solches Bild heraufzubeschwören. Es muß seltsam anmuten, wenn dieses Bild auf irgendeine Weise mit der liberalen politischen Theorie in Verbindung gebracht wird, zumal Yeats selbst so weit rechts stand. Aber genau das beabsichtige ich zu tun. (Ich werde später noch auf eine geläufigere liberale Auffassung zu sprechen kommen.) Obwohl der Liberalismus eine Zukunft erhofft, in der alle Männer und Frauen an einem demokratischen Prozeß rationaler Entscheidungsfindung teilnehmen, knüpft er mit seiner Abneigung und seiner Geringschätzung für die Leidenschaften an eine ältere politisch-philosophische Tradition an, in welcher die wenigen Aufgeklärten besorgt auf die wimmelnde, irrationale Masse blickten und von einer Zeit träumten, als die Masse noch passiv, gefügig und politisch apathisch war. Yeats' »leidenschaftliche Energie« erinnert zum Beispiel an den »Enthusiasmus«, den David Hume in seiner *History of England* an den protestantischen Sekten des 17. Jahrhunderts beobachtet und kritisiert hatte.[4] Hume bekannte sich zu der Überzeugung, daß die Vernunft Sklavin der Leidenschaft sei, hoffte aber, religiöser Eifer sei eine Leidenschaft, der vernünftige Männer und Frauen widerstehen würden. In dieser Tradition (Hume ist uns nützlich,

[4] Die Kritik am Enthusiasmus (sowie am religiösen Eifer, Fanatismus usw.) zieht sich etwa ab Kapitel 50 durch die gesamte *History of England.* Siehe dazu die Analyse in David Miller, *Philosophy and Ideology in Hume's Political Thought*, Oxford (Clarendon Press) 1981, S. 57, 103, 116 f., 151.

weil er deren whiggistische Variante vertritt) wird jedes starke gefühlsmäßige Engagement für gefährlich gehalten. Es verkörpert eine Gefährdung der sozialen Stabilität und der politischen Ordnung, die einer geistigen Kultiviertheit, kunstfertigen Leistungen und dem, was man moralischen Anstand nennen könnte, Rechnung trägt – kurz den Tugenden, und es sind echte Tugenden, eines Gentleman und Gelehrten. Diese Tugenden haben zweifellos ihre eigene Geschichte, der ich hier nicht weiter nachgehen werde. Ich möchte mich statt dessen auf eine Argumentation konzentrieren, in der sie eine Rolle spielen. Eine Argumentation, die, wie ich glaube, als Antwort auf das Aufkommen von Volksreligion und politischem Radikalismus entstanden ist.

Yeats' eindrucksvolle Zeile, »die Dinge zerfallen, das Zentrum hält nicht mehr«, bedient sich wirkungsvoll der früher entstandenen Zeilen von John Donne:[5]

›Tis alle in peeces, all cohaerence gone;
All just supply, and all Relation;
Prince, Subject, Father, Sonne, are things forgot.

So sieht es also aus, wenn »neue Philosophie alles in Zweifel zieht«. Die Argumentation ist hier intellektueller als bei Yeats, wenngleich das »Vergessen« der sozialen Hierarchie nicht auf die wissenschaftliche Revolution, sondern auf den protestantischen Radikalismus anspielt – wobei diese beiden für Donne, der später in seinem »First Anniversary« schrieb, »a Hectique feaver hath got hold / Of the Whole substance [of the world]«, vermutlich zu-

[5] »An Anatomie of the World. The First Anniversary« (1611), in: *Complete Poetry and Selected Prose of John Donne*, New York (Modern Library) 1941, S. 171, S. 172. – »Alles ist zerfallen, jeder Zusammenhalt verloren, / Jede rechtmäßige Vertretung und jede gestufte Ordnung; / Fürst, Untertan, Vater, Sohn hat man vergessen.« – »Ein hektisches Fieber hat das ganze Wesen [der Welt] ergriffen.«

sammenhingen. Donne erlebte nicht mehr, wie die »blutgefärbte Flut« in den Straßen Londons stand; es handelt sich vielmehr um die besondere Erfahrung des Auseinanderfallens der Dinge, der Welt aus den Fugen, die von diesen Gedichten heraufbeschworen wird oder die sich mit Hilfe dieser Gedichte heraufbeschwören läßt. »Hektisches Fieber«, »Enthusiasmus« und »leidenschaftliche Energie« sind die Kennzeichen der plebejischen anderen (und deren »organischen Intellektuellen«). Nach geläufigem Verständnis bezieht sich das in beiden Gedichten auf die niederen Stände, doch können später auch Pariavölker, versklavte Rassen und eroberte Nationen gemeint sein. Wenn solche Gruppen dann rebellieren, wird die »blutgefärbte Flut entfesselt« und »die Zeremonien der Unschuld« – all die üblichen Höflichkeiten, Feierlichkeiten und Rituale, mit denen der soziale Zusammenhalt inszeniert wird – werden in der Flut ertränkt.

Diese Argumentation hat offenkundig ihren Reiz, weil sie unabweislich ihre Wahrheit hat. Wer wollte bestreiten, daß puritanische Unterdrückung, die Schreckensherrschaft der Französischen Revolution, die stalinistischen Säuberungen, der Völkermord der Nationalsozialisten oder die nationalistischen Massaker und Vertreibungen unserer Gegenwart das Werk leidenschaftlicher Männer und Frauen waren und sind und daß ihre Leidenschaften zu den schlechtesten zählen: dogmatische Gewißheit, Wut, Mißgunst, Ressentiment, Heuchelei und Haß? Wer kann daran zweifeln, daß das Versagen der Gemäßigten in jedem dieser Fälle zumindest etwas mit ihrer liberalen Gesinnung, dem Mangel an fester Überzeugung (was auf dasselbe hinausläuft) und ihrem Selbstzweifel zu tun hat? Folgt daraus nicht, daß wir einen Weg suchen müssen, wie sich die politische Leidenschaft ausschalten läßt und wie man den besseren Eigenschaften von Geist und Verstand – Vernünftigkeit, Skepsis, Ironie und Toleranz – in der politischen Arena zum Durchbruch verhelfen kann?

Hitze durch Licht ersetzen: Das wäre eine gute Sache, wenn

sie denn möglich wäre. Aber sie ist nicht möglich. Um zu verstehen, warum das nicht geht, müssen wir uns nur die Realitäten des politischen Lebens vergegenwärtigen. Terroristen und Mörder sind tatsächlich oft Überzeugungstäter; welchen intellektuellen Maßstäben sie selbst auch genügen mögen, ihr Leitbild holen sie sich bei den Aristokraten des intellektuellen Lebens. Calvin, Rousseau, Marx und Nietzsche wurden alle schon ausführlich von Leuten zitiert, die sie wohl höchst ungern als ihre Jünger anerkennen würden – was nicht heißt, diese intellektuellen Aristokraten seien selbst gegen Anwandlungen der Leidenschaft gefeit gewesen. Zugleich findet die leidenschaftliche Energie der Terroristen und Mörder in der Leidenschaft ihrer heldenhaftesten und wirkungsvollsten Gegner so manches Mal ihr ebenbürtiges Gegenstück. Gälte es nicht, etwas Furchtbares zu bekämpfen, gäbe es weder Bedarf noch Anlaß für diese Art des gefühlsmäßigen Engagements. Doch wo viel auf dem Spiel steht, besteht Politik zuallermeist in Gegnerschaft und Konflikt, Uneinigkeit und Streit. Ich will nicht behaupten, daß Politik wesentlich darin besteht. Ich habe mich nie zu essentialistischen Definitionen gleich welcher Art hingezogen gefühlt. Ich gestehe aber, daß ich mir eine konfliktfreie Politik nicht vorstellen kann, und es überzeugt mich nicht, wenn Politiker der Mitte beteuern, sie hätten mit niemandem ernstliche Meinungsverschiedenheiten. Es ist natürlich möglich, die Einsätze zu senken – was in vielen Fällen ratsam ist. Auf Null senken läßt sich der Einsatz allerdings nicht. Friedrich Engels' berühmte Forderung, die Regierung über Personen durch die Verwaltung von Sachen zu ersetzen – wobei für die »Sachen«, in der Frage, wie sie verwaltet werden, überhaupt nichts auf dem Spiel steht –, scheint mir eine antipolitische Phantasie zu sein.[6] Zweifellos tun die Verwalter

[6] »An die Stelle der Regierung über Personen tritt die Verwaltung von Sachen und die Leitung von Produktionsprozessen.« Friedrich Engels, *Anti-Dühring*, in: Karl Marx / Friedrich Engels, *Werke*, Band 20, Berlin (Dietz) 1975, S. 262.

gut daran, ihren rationalen Überzeugungen zu folgen, und ihre Leistung wird durch einen Schuß Ironie und Selbstzweifel sicherlich nur besser. Politische Aktivisten müssen jedoch leidenschaftlicher engagiert sein, sonst würden sie jeden Kampf um die politische Macht verlieren.

Das trifft für die Politik ganz allgemein zu, hat aber besonders dann Gültigkeit, wenn alte soziale Hierarchien in Frage gestellt werden, der Zusammenhalt untergraben wird und die Welt in Scherben liegt. Denn es ist die leidenschaftliche Energie der vielen, die die Infragestellung betreibt, und sobald die Infragestellung einmal in Gang gebracht worden ist, haben die »Zeremonie der Unschuld«, »rechtmäßige … Ordnung« und liebenswürdige Vernünftigkeit nur noch begrenzten Wert. Sie werden keine neue Ordnung herbeiführen, sie werden Männer und Frauen nicht veranlassen können, die für Erneuerung und Wiederaufbau benötigte Disziplin aufzubringen. »Nichts Großes ist jemals ohne Enthusiasmus vollbracht worden«, schrieb Ralph Waldo Emerson.[7] Diese Aussage läßt sich empirisch bestätigen, und die Beweise dafür sind überwältigend. Leider ist es genauso wahr und die Evidenz dafür gleichermaßen erdrükkend, daß schreckliche Großtaten ebenfalls Enthusiasmus verlangen.

Diese doppelte Wahrheit drückt aus, welche Risiken der Politik als absichtsvoller Tätigkeit innewohnen. Tatsächlich spiegeln die Risiken eine weitere Verdoppelung: Auch die Vernunft spielt sowohl für große als auch für schreckliche Leistungen eine Rolle. Jeder politische und soziale Fortschritt verlangt rationale Überzeugungskraft (was immer er sonst verlangt). Aber der hochtrabende Ehrgeiz, auf Kosten der unwissenden, unvernünftigen Masse eine rationale Ordnung zu errichten, hat bei der Ausübung von Terror und Mord seine eigenen Qualitäten her-

[7] Emerson, »Kreise«, *Essays. Erste Reihe*, üb. und hg. von Harald Kiczka, Zürich (Diogenes) 1982, S. 248.

vorgebracht. Wenn leidenschaftliche Aktivisten häufig die Philosophie bemühen, so sind umgekehrt die Philosophen vielfach von der Leidenschaft getrieben. Mitglieder beider Gruppen stehen bisweilen im Dienst des Guten und bisweilen auf der Gegenseite.

Die Risiken der Politik können sicherlich rücksichtslos vergrößert oder vorsichtig vermindert werden. Sie lassen sich aber nicht vollkommen vermeiden, es sei denn, man gibt jede Hoffnung auf große Leistungen, ob nun gute oder schlechte, auf. Und genau das geschieht, denke ich, wenn Überzeugung und Leidenschaft, Vernunft und Enthusiasmus, radikal getrennt werden und diese Dichotomie mit der Dichotomie vom zusammenhaltenden Zentrum und dem Chaos der Auflösung kurzgeschlossen wird. Das Ergebnis ist eine Ideologie der Risikovermeidung, die wohl oder übel auch eine Verteidigung des Status quo ist. Es ist eine merkwürdige Ideologie und eine aussichtslose Verteidigung, da sie fast schon definitionsgemäß nicht viel Inspiration vermitteln kann. Sie kann Männer und Frauen nicht zum Handeln bewegen, denn Voraussetzung dafür wäre eben ein leidenschaftliches Festhalten an der Art, wie die Dinge sind, anstatt einer lediglich traurigen Betrachtung darüber, wie die Dinge vordem einmal waren. Die bedauernde Betrachtung stellt eher die Entschuldigung für ein Versagen als ein Erfolgsprogramm dar. Das erklärt wohl, warum die von mir zitierten Gedichte im Tonfall des Lamentierens geschrieben sind (oder als Lamento gedeutet werden). Der Status quo wird erst rückblickend verteidigt, nachdem jeder Zusammenhalt bereits verlorengegangen ist und die Dinge bereits auseinandergefallen sind – so als wolle man sagen, wie schrecklich doch die Folgen leidenschaftlicher Energie sind! Als wolle man sagen, wäre es nicht besser gewesen, die »blutgefärbte Flut« wäre niemals entfesselt worden!

»Die blutgefärbte Flut« – diese Wendung habe ich etliche Male wiederholt, weil sie der Schlüssel, zwar nicht zum Gedicht – ich möchte nicht behaupten, daß ich den Schlüssel dazu besitze –, aber zu der Weltsicht ist, die das Gedicht verkörpert. Ich kann nicht sagen, wie Yeats sich die Flut vorstellte, aber ich weiß, wie wir sie uns vorstellen. Die Flut entspricht dem Mob, und es verhält sich nicht so, daß das Blut von Mitgliedern des Mobs ermattet ist, sondern daß das Blut die Färbung verursacht. Ihr Blut ist nicht ruhig, sondern kocht, deshalb sind sie aufgepeitscht und leidenschaftlich, begierig, das Blut ihrer Feinde zu vergießen. Wir stellen uns einen begeisterungstrunkenen Mob vor: wütende, aufgebrachte, neiderfüllte Plebejer, religiöse Fanatiker oder Blut-und-Boden-Nationalisten. Und die Schlimmsten unter ihnen sind die Demagogen an ihrer Spitze, die hier nicht als zynische Manipulateure oder machiavellistische Fürsten begriffen werden, sondern als Männer und Frauen, die die Leidenschaften der von ihnen geführten Menschen voll und ganz teilen. Das ist mit »leidenschaftlicher Energie« gemeint: Die Gefühle sind echt, darum sind sie so beängstigend.

Aber das ist die feindselige Version der Geschichte: Sie konzentriert sich auf die Risiken der Leidenschaft (nicht auf die Risiken der Vernunft). Denken wir doch jetzt einmal an die Menschen, die tatsächlich eine etablierte soziale Ordnung in Frage gestellt haben: Arbeiter im 19. Jahrhundert, die für das Recht auf Organisation demonstrierten, Frauenrechtlerinnen in den ersten Jahrzehnten des 20. Jahrhunderts, die sich an Laternenpfähle anketteten und die Polizei »angriffen«, Demonstranten in den 60er Jahren, die im Süden der USA für die Bürgerrechte marschierten, außerdem ihre Pendants im Nordirland der 70er Jahre und die Teilnehmer der »Samtrevolution« von 1989 auf den Straßen und Plätzen Prags. Hierbei handelt es sich offenkundig um eine Liste, die überzeugend sein soll. Dennoch muß es in allen diesen Fällen Beobachter gegeben haben, die glaubten, daß das, was sie sehen, die blutgefärbte Flut sei. Ich bin geneigt, platt zu sagen, daß sie sich geirrt haben und daß die Dichotomie Leidenschaft/Überzeugung in diesen Fällen keinen Sinn ergibt. Denn, was wir bei allen genannten Fällen beobachten können, ist eine

Überzeugung, die von Leidenschaft aufgeladen ist, und eine Leidenschaft, die von Überzeugung gebändigt wird. Ist das nicht die vielversprechendere Geschichte? Ich meine nicht, was ihre Attraktivität, sondern was ihre Ablehnung der Dichotomie betrifft. Dieselbe Geschichte läßt sich immerhin genausogut von Anführern und Anhängern erzählen, die einen weit weniger ansprechen als die Männer und Frauen der Arbeiter-, Frauenrechts- und Bürgerrechtsbewegung oder der Revolutionen von 1989. Und es ist sogar die wahre Geschichte. In den historischen Aufzeichnungen kommen ironische, unschlüssige, hamlet-ähnliche Gemäßigte und leidenschaftliche, blutrünstige Mobs vor, weit verbreiteter sind allerdings organisierte Parteien und Bewegungen verschiedenster Art, gute wie schlechte. Die Politik hat es meist mit Menschen zu tun, die beides, nämlich Überzeugungen und Leidenschaften, Vernunft und Enthusiasmus, durchweg in einem instabilen Verhältnis vereinigen. Die Unterschiede, die wir zwischen ihnen machen, die Abgrenzungen, die wir vornehmen, die Seiten, die wir wählen, werden nicht von den Yeatsschen Dichotomien bestimmt, sondern richten sich nach den unterschiedlichen Zielen, die diese Menschen verfolgen, den verschiedenen Mitteln, die sie dafür anwenden, und der Art und Weise, wie sie sich zueinander verhalten. Irgendwann haben wir unsere Wahl getroffen. Und warum sollten wir dann nicht eine Welt erhoffen, in der diejenigen, die wir bekämpfen, ihren verlorenen Überzeugungen nachtrauern, während wir von leidenschaftlicher Energie erfüllt sind?

III

Ich werde jetzt noch eine andere Geschichte über die Leidenschaft in der Politik erzählen, eine Geschichte, die ersichtlich mehr liberale Anknüpfungspunkte hat und die, was ich bislang nicht getan habe, auf das moralische und psychologische Zugeständnis eingeht, das liberale Theoretiker an die Leidenschaften gemacht haben – oder zumindest an einige Leidenschaften. Diese zweite Geschichte ist von Albert Hirschmans *Leidenschaften und Interessen* und von Joseph Schumpeters Imperialismustheorie angeregt, auf die sich Hirschman am Ende seines Buchs beruft.[8] Zwar sind die Begriffe auch danach noch grundsätzlich dichotom gegliedert, sie werden aber umformuliert, so daß sie eine bestimmte Soziologie widerspiegeln. Diese Soziologie unterscheidet sich sehr von dem, was die Argumentation zum Ausdruck brachte, zu deren Veranschaulichung ich Yeats' Gedicht heranzog. In ihr wurde die soziale Welt anhand einer Reihe parallel angelegter Gegensätze beschrieben:

Überzeugung / Leidenschaft
Aristokraten / Plebejer
kleine Schar Aufgeklärter / blutgefärbte Flut

Die alternative Argumentation beginnt damit, daß sie Leidenschaft mit Krieg und kriegsähnlichen Handlungen verbindet, und weiterhin ganz gezielt mit der Aristokratie, deren historische Legitimität letztlich auf dem Erfolg in Schlachten beruht. Der ideale Aristokrat ist auf die Demonstration von Mut und auf das Streben nach Ehre und Ruhm verpflichtet, die sich durch einen militärischen Triumph am besten verwirklichen lassen. Idealerweise kämpfen Aristokraten nur gegen Drachen, sie retten die Unschuld-in-Gefahr, sie verteidigen ihr Land. Faktisch bricht sich ihr heldenhafter Überschwang jedoch in Angriffskriegen und Eroberungszügen Bahn, so daß Schumpeter behaupten kann, die aristokratischen Werte zählten zu den Quellen imperialistischer

[8] Albert O. Hirschman, *Leidenschaften und Interessen. Politische Begründungen des Kapitalismus von seinem Sieg*, üb. von Sabine Offe, Frankfurt am Main (Suhrkamp) 1987. Siehe Joseph A. Schumpeter, *Zur Soziologie der Imperialismen*, Tübingen (Mohr) 1919.

Politik. Wie Platons Wächter müssen die Aristokraten Männer mit Mut sein, das heißt, sie müssen leidenschaftlich sein und in der Schlacht unweigerlich leidenschaftliche Energie bezeugen. Aber diese Energie ist nicht auf auswärtige Kriege beschränkt. Obwohl Platon hoffte, daß seine Wächter in der Fremde gegen Feinde bösartig sein mögen und zu Hause sanftmütig, begünstigt die aristokratische Leidenschaft auch den Bürgerkrieg. Selbst in Friedenszeiten neigen die Aristokraten dazu, Aufstände anzuzetteln, sich zu duellieren und sich gegenüber ihren sozial Untergeordneten als große Herrscher aufzuspielen.[9] Hirschman findet diese Sicht auf die Aristokratie überwiegend in Texten aus dem 18. Jahrhundert, doch sie läßt sich bereits für die Städte der italienischen Renaissance feststellen. »Untersucht man das Streben des Adels und des Volks, so zeigt sich ohne Zweifel beim Adel ein starkes Verlangen zu herrschen, beim Volk aber nur das Verlangen, nicht beherrscht zu werden [...] in Freiheit zu leben«, schreibt Machiavelli in seinen *Discorsi*.[10]

Aristokraten sind gefährliche Männer. Oder vielleicht sollte ich sagen, aristokratische Männer sind gefährlich. Denn, obwohl Frauen im religiösen als auch im säkularen moralischen Diskurs normalerweise mit der Leidenschaft identifiziert werden, sind Frauen so sehr aus der politischen Sphäre ausgeschlossen, daß die leidenschaftliche Energie im politischen Handeln und Argumentieren regelmäßig männlich verkörpert wird. Den Frauen wird von Männern oft eine gewisse vorpolitische Sentimentalität zugeschrieben, darüber hinaus eine antipolitische, störende Sexualität, nicht jedoch eine spezifisch politische Energie. Die Ruhmsucht als Leidenschaft des Aristokraten wird aber zumindest aus der Perspektive seiner Gegner unter Handelskaufleuten und Handwerkern als männliche Herrschsucht und Blutgier beschrieben.

[9] Zu Platons Argumentation siehe, *Der Staat*, II, 375, eingeleitet von Olof Gigon, üb. von Rudolf Rufener, Zürich u. München (Artemis) 1973, S. 142f.

[10] Niccolo Machiavelli, *Discorsi. Gedanken über Politik und Staatsführung*, üb. von Rudolf Zorn, Stuttgart (Kröner) 1966, Buch I, Kap. 5, S. 21.

Die Gegenfigur dazu ist der gute Bürger, der ruhig seinen Profit erstrebt, seinen Vorteil auf dem Markt berechnet, Geld einnimmt und ausgibt und sich seiner Freiheit erfreut. Der Bürger weiß, daß sowohl sein Gewerbe als auch sein Freiheitsgenuß Frieden erfordern. Seine Zweckrationalität erzeugt eine städtische Bürgerlichkeit und etwas, was von den Autoren des 18. Jahrhunderts als »doux commerce« bezeichnet wurde. Natürlich wird auch er von Leidenschaft getrieben, aber die Leidenschaft des Gewinnstrebens (und auch für das Angenehme) veranlaßt die Menschen, weitgehend in den von Recht und Ordnung gezogenen Grenzen zu handeln. In der von Hirschman untersuchten Literatur wird diese Leidenschaft abgetrennt und als »Interesse« neu gefaßt, während die Leidenschaft für den Ruhm ihren alten Namen und die alten Konnotationen des ungezügelten Enthusiasmus, der Heftigkeit und der Gewalt bewahrt. Samuel Johnsons Behauptung, daß »es wenig Betätigungen [gibt], denen ein Mensch in größerer Unschuld nachgehen kann als dem Geldverdienen«, mag wohl, wie Hirschman sagt, die sozialen Folgen des Kapitalismus unterschätzen [11], fängt aber den Geist meiner zweiten Geschichte bestens ein und bildet den Ansatz zu ihren alternativen Dichotomien.

Krieg / Handel
Leidenschaften / Interessen
Aristokratie / Bourgeoisie

Besonders interessant ist hier die Ablösung der festen Überzeugung (oder des Prinzips oder des moralischen Vernunftgrundes) durch das Interesse. Es gibt etwas Hehres an der Überzeugung, das ihren gesellschaftlichen Trägerkreis begrenzt. Die gängige Assoziation verknüpft, wie ich schon andeutete, die Überzeugung

[11] *Leidenschaften und Interessen*, S. 66–72. Das Zitat stammt aus James Boswell, *Das Leben Samuel Johnsons und Das Tagebuch einer Reise nach den Hebriden*, München (Beck) 1985, S. 226. [Boswell datiert den Ausspruch Johnsons auf den 27. März 1775. A. d. Ü.]

mit den »Besten«, den wenigen Aufgeklärten, gleichgültig, ob diese nun als Mitglieder einer aristokratischen oder intellektuellen Elite begriffen werden. Sehr viel mehr Menschen verfügen über Interessen, ja, diese sind eigentlich universell verbreitet. Wir alle haben Interessen, und wir alle sind damit beschäftigt, Geld zu verdienen oder darüber nachzudenken, wie wir an Geld kommen. Insofern sind wir alle der Zweckrationalität des *doux commerce* unterworfen. So schwierig es ist, sich eine gänzlich von der Überzeugung bestimmte Politik vorzustellen, so einfach ist es, sich eine Politik vorzustellen, die vom Interesse beherrscht ist.[12] Genau diese Politikform nimmt ja der Liberalismus in der Realität tatsächlich an. Der Liberalismus arrangiert sich mit den Leidenschaften, indem er das Interesse anerkennt, während er die heftigeren Formen der Bindung und des Kampfes nach wie vor ausschließt. Die Politik interessegeleiteter Individuen und konkurrierender Interessengruppen ermöglicht die Austragung von Konflikten, scheut aber vor dem Bürgerkrieg zurück und verweist die kriegerischen Leidenschaften ausdrücklich und die parteigängerischen Leidenschaften unausgesprochen in den Bereich des Unannehmbaren. Liberale Autoren rationalisieren diese Politik, indem sie sie rational nennen, was sie in der Tat oftmals ist. Und auch stets sein sollte: Tocquevilles Verteidigung der »Lehre vom wohlverstandenen Eigennutz« setzt die Vernunft / Leidenschaft-Dichotomie mit all ihren alten Wertigkeiten einfach wieder ein.[13]

Die positive Sicht des Interesses war seit dem 18. Jahrhundert

[12] Neben anderen Autoren des 18. Jahrhunderts erkennt und lobt Hume eine andere Leidenschaft, das »Wohlwollen gegen Fremde«, aber das sei »zu schwach«, meint er, »um der Gewinnsucht das Gleichgewicht zu halten«. Die letztgenannte Leidenschaft kann gelenkt werden, sie kann nicht ersetzt werden, denn sie ist Triebkraft des wirtschaftlichen und politischen Lebens. Siehe David Hume, *Traktat über die menschliche Natur*, II. Teil, Buch III, Über Moral, Zweiter Abschnitt, hg. von Th. Lipps, Hamburg / Leipzig (Leopold Voss) 1906, S. 235 f.

[13] Siehe Alexis de Tocqueville, *Über die Demokratie in Amerika*, Zweiter Teil von 1840, Teil II, Kap. 8 und 9, München 1976.

ein maßgebliches Merkmal des liberalen Denkens – obwohl so manche neueren Verteidiger der idealen Sprechsituation und der deliberativen Demokratie offenbar der Überzeugung den Vorzug geben: Ich denke, sie meinen, daß das Interesse noch zu viel Nähe zur leidenschaftlichen Energie aufweist. Im Gegensatz dazu war die Gleichsetzung der Aristokratie mit der Leidenschaft, und insbesondere mit gewalttätiger Leidenschaft, von viel kürzerer Dauer. Sie diente in den Klassenkämpfen der frühen Neuzeit einem bestimmten Zweck, aber der Siegeszug des bürgerlichen Liberalismus führte überall dort, wo er sich vollzog, binnen kurzem zu so etwas wie einer aristokratischen Anpassung. Aristokraten wurden Diplomaten statt Krieger, sie übernahmen in vielen neuen konstitutionellen oder republikanischen Regierungssystemen den auswärtigen Dienst. In der heimischen Gesellschaft beherrschten sie als Schirmherren der hohen Kultur und Sachwalter des guten Geschmacks das gesellschaftliche Terrain. Alternativ dazu verkörperten sie in der Unterhaltungsliteratur, bisweilen auch in der Wirklichkeit, den dekadenten, parasitären und zynischen »Playboy« (»Playgirls« entstammen einer niedrigeren Gesellschaftsklasse), der zwar von der Gier getrieben ist, dem Blutvergießen aber definitiv abgeneigt ist. Die gefährlichen Leidenschaften müssen also in der Gesellschaft einen anderen Platz zugewiesen bekommen.

Die herkömmliche Zuordnung zu den Plebejern ist jedoch inzwischen umstritten, denn es ist eine der wichtigen Leistungen des Marxismus, die einfache Wahrheit nachgewiesen zu haben, daß die Arbeiterklasse rationale Interessen hat[14], so daß es notwendig wird, die leidenschaftliche Energie an anderer Stelle unterzubringen. Obgleich Marx offenkundig gehofft hatte, daß sich die Arbeiter gegenüber ihren kapitalistischen Unterdrükkern als gefährlich erweisen würden, wurden sie keine gesell-

[14] Siehe Jon Elster, *Making Sense of Marx*, Cambridge (Cambridge University Press) 1985. Seine Argumentation betont diesen Aspekt des Marxismus.

schaftliche Gefahr. Sie sollten weder prinzipiell noch faktisch die Welt in Anarchie stürzen, sie sollten vielmehr eigene Formen des sozialen Zusammenhalts entwickeln, ihre eigene Art und Weise, die Dinge zusammenzuhalten. Das Klassenbewußtsein war und ist eine rationale Schulung. Die Marxisten und die Linken generell haben daher die Ansicht vertreten, das Klassenbewußtsein mache unempfänglich für Formen unvernünftiger Leidenschaft, die sie der Religion und dem Nationalismus gleichsetzten. Folgt man der marxistischen Darstellung, würden die beiden letzteren ihre glühendsten Anhänger nicht in der Arbeiterklasse, sondern im Kleinbürgertum und dem Lumpenproletariat finden, was jedoch nicht immer zutraf.

Von linken Kritikern der Identitätspolitik wurde dieses Argument in den letzten Jahren wiederbelebt. Die Klasse begünstige rationales politisches Verhalten, so ihr Standpunkt, denn sie schließe Menschen auf der Grundlage ihrer gemeinsamen Wirtschaftsinteressen zusammen, während die Ethnizität im wesentlichen auf Geburt und Blutsverwandtschaft beruhe und dementsprechend auf den irrationalen Leidenschaften, die diese beiden Orientierungen nähren. Daraus erkläre sich die relative Zurückhaltung des Klassenkampfs verglichen mit der ethnischen Kriegsführung: Die Interessen, die beim Klassenkampf auf dem Spiel stehen, können jederzeit Gegenstand eines Kompromisses werden; der Krieg zwischen Ethnien kennt, ebenso wie die Leidenschaft selbst, nur alles oder nichts.[15] Diese Unterscheidung entbehrt vermutlich mit ihren Vergleichen nicht ganz der Wahrheit. Andererseits haben wir den Klassenkrieg erlebt, der von Neid, Ressentiment und krankhaftem Mißtrauen angetrieben und in eine Rechtfertigung für Säuberungen und Massaker, Folter in Polizeigewahrsam, willkürliche Haftstrafen, Konzentrati-

[15] Ein repräsentatives Beispiel ist: Bogdan Denitch, *Ethnic Nationalism. The Tragic Death of Yugoslavia*, Minneapolis (University of Minnesota Press), überarbeitete Auflage von 1996.

onslager und Zwangsarbeit umgemünzt wurde. Es hat hingegen Bewegungen für nationale Befreiung, Gerechtigkeit zwischen den Rassen und Geschlechtern gegeben, die rationale Appelle an die Welt gerichtet und ihren eigenen Aktivisten moralische Schranken auferlegt haben. Wir müssen also weitere Unterschiede zwischen solchen Formen der Klassenpolitik und der Identitätspolitik herausarbeiten, die wir billigen, und solchen, die wir fürchten – und die Dichotomie Interesse / Leidenschaft ist uns dabei wahrscheinlich sogar weniger von Nutzen als die Dichotomie gut / schlecht. Zumindest ist das, was unsere Urteile wirklich bestimmt, unser Sinn für das Gute und das Schlechte.

IV

Wenn wir gute und schlechte Leidenschaften dadurch identifizieren, daß wir uns anschauen, für welche Sache sie in Anspruch genommen worden sind, und diese Sache nun rational beurteilen, haben wir dann nicht abermals die alte Dichotomie, mit der Vernunft an allerhöchster Stelle, wieder eingesetzt? Vielleicht ist alles, was ich hier erreicht habe, daß in der legitim geordneten Welt ein bißchen mehr von unserem leidenschaftlichen Leben zugelassen wird. So wie einst die Leidenschaft des Gewinnstrebens gewissermaßen in das Reich des Respektablen aufgestiegen war, habe ich jetzt die parteigängerischen und kämpferischen Leidenschaften in dasselbe Reich befördert. Erstere, eine Leidenschaft, die gewöhnlich »Gier« genannt wird, macht uns das marktgerechte Verhalten durchsichtig. Die beiden anderen, Solidarität und Feindseligkeit, erklären einen Großteil des politischen Verhaltens.[16] Sie alle müssen jedoch nach wie vor rationa-

[16] Siehe Diane Rothbard Margolis, *The Fabric of Self. A Theory of Ethics and Emotions*, New Haven (Yale University Press) 1998, Kap. 5, zu einer Darstel-

lisiert werden, das heißt, wie Tocqueville sich ausdrückte, sie müssen wohlverstanden sein und gut gelenkt werden. Denn sie selbst verhelfen uns ganz allein aus sich heraus weder zu ihrem Verständnis noch zu ihrer Lenkung.

Mein Argument lautete also bislang: Die leidenschaftliche Energie hat ihren legitimen Platz in der sozialen Welt, und zwar nicht nur dann, wenn es um das »Geldverdienen« geht, sondern auch dann, wenn wir Bündnispartner wählen und Gegner angreifen. Mir scheint diese Erweiterung der rationalen Legitimität auf die politischen Leidenschaften eine nützliche Revision liberaler Theorie zu sein, die in den letzten Jahren zu sehr mit der Entwicklung leidenschaftsloser deliberativer Verfahren beschäftigt gewesen ist. Die Erweiterung macht den Weg frei für bessere Erklärungen von sozialer Bindung und sozialem Konflikt und für ausdrücklichere und selbstbewußtere Antworten auf die unausweichliche politische Frage: Auf welcher Seite stehst du?

Aber ich denke, die alte Dichotomie fordert zu einer grundsätzlicheren Ablehnung auf. Es geht nicht darum, daß sich Vernunft und Leidenschaft nicht begrifflich unterscheiden ließen. Ich selbst habe diese Unterscheidung in meiner Vorlesung ständig gemacht. In der Praxis sind beide jedoch stets unentwirrbar verflochten – und diese Verflechtung selbst verlangt schon eine begriffliche Darstellung. Mein Ehrgeiz besteht also darin, die zwischen Vernunft und Leidenschaft gezogene Grenzlinie aufzuweichen, das heißt (einige) Leidenschaften zu rationalisieren und die Vernunft mit Leidenschaft anzureichern. Mir scheint, unsere Gefühle sind in das praktische Verstehen ebenso einbezogen wie in die politische Verteidigung des Guten und sogar des Richtigen. Ich werde diese schlichte Aussage im folgenden begründen, ohne so etwas wie eine theoretische Psychologie aus-

lung der Rolle, die Gefühle wie Anhänglichkeit und Abstoßung für das spielen, was sie das »verpflichtete Selbst« und das »bürgerschaftliche Selbst« nennt.

zuarbeiten. Um die Stichhaltigkeit des Gedankens deutlich zu machen, reicht ein anschauliches Beispiel, das auf nicht mehr als unser Alltagsverständnis von Gefühlen zurückgreift.

Nehmen wir den Fall militärischer Aggression, der häufig – von Schumpeter zum Beispiel – mit den schlechten Leidenschaften gleichgesetzt wird (nebenbei bemerkt, ein brauchbares Beispiel für die Psychologie des normalen Menschenverstandes). Aber unsere Feindseligkeit gegenüber der Aggression ist fast ebenso leidenschaftlich wie die Aggression selbst. Mit der Feindseligkeit, denke ich, verbindet sich für uns die Vorstellung von Leuten, die wie wir ruhig und friedlich an ihrem angestammten Ort, in ihren Häusern und ihrer Heimat leben. Sie werden ohne legitimen Grund angegriffen (das ist die Definition von Aggression), und ihren Familien und Freunden, ihren Städten und Dörfern, ihrer ganzen Lebensweise droht die Vernichtung, und vielleicht sind Zerstörungen bereits geschehen. Unsere rationale Verurteilung des Angriffs kann ohne den Bezug auf dieses Bild vor unserem inneren Auge sicherlich gar nicht verstanden werden. Im Grunde genommen verdankt sie sich diesem Bild. Sie hängt von unserer gefühlsmäßigen Identifizierung mit diesen Leuten ab, die einfach Projektionen derjenigen Männer und Frauen sind, mit denen wir selbst zu Hause in Frieden zusammenleben. Identifizierungen dieser Art sind das Werk parteigängerischer Leidenschaften und prägen unsere Reaktion auf die Aggression mit ebensolcher Bestimmtheit, wie die Leidenschaft, triumphieren und herrschen zu wollen, die Aggression selbst prägt. Ziele und Handlungen beider Seiten werden unzweideutig von leidenschaftlicher Energie genährt. Genauso verhält es sich mit der rationalen Überzeugung, denn die Angreifer glauben wahrscheinlich – wenigstens werden sie das sich selbst und uns übrigen weismachen wollen –, daß sie einen legitimen Anspruch auf das von ihnen angegriffene Land haben, während wir der festen Überzeugung sind, daß gewaltsame Grenzverletzungen eine allgemeine Gefahr darstellen. So sehen die Dinge tatsächlich aus: Es gibt »gute« und »schlechte« Verbindungen von Vernunft und Leidenschaft, die wir vernünftig und leidenschaftlich unterscheiden.

Mit ausreichendem Abstand gesehen, gleichen die Aggressoren vermutlich der »blutgefärbten Flut«. Möglich ist durchaus, daß es eine marodierende Streitmacht ist, irreguläre Truppen, die auf Gemetzel und Plünderung aus sind. Es kann sich aber auch, was häufiger der Fall ist, um eine disziplinierte Armee handeln, bei der in erster Linie die militärischen oder politischen Führungsspitzen einen leidenschaftlichen Eroberungswillen besitzen (sie können außerdem rational darauf fixiert sein). Die leidenschaftliche Energie hat im Grunde genommen keine fest umrissene soziale Form, sie kann in gleicher Weise von Marodeuren oder Armeen verkörpert werden. Darüber hinaus hat sie keine feste gesellschaftliche Basis. Eine Reihe bestimmter Leidenschaften oder bestimmter Vernunftgründe kann zu dieser oder jener Zeit, an dem einen oder anderen Ort mit einer bestimmten ökonomischen Klasse oder ethnischen Gruppe verbunden sein. Aber derartige Verbindungen sind instabil. Alle historisch argumentierenden Thesen, die die leidenschaftliche Energie mit den Plebejern oder der Aristokratie, beziehungsweise ein rationales Interesse mit der Bourgeoisie oder der Arbeiterklasse verknüpfen, sind selbst leidenschaftlich und interessiert, nämlich ideologisch im ursprünglichen Wortsinn. Eine soziologische Landkarte, die uns bei unseren politischen Wahlhandlungen verläßlich zeigt, wo es langgeht, gibt es genausowenig wie die entsprechende psychologische Landkarte.

V

Wir haben uns nach wie vor zwischen dem Guten und dem Schlechten zu entscheiden. Auf was beziehen sich also diese moralischen Begriffe im politischen Leben? Ich glaube, auf diese Frage habe ich bereits, so gut es geht, geantwortet. Ich möchte aber nun versuchen, eine zusammenfassende Erklärung zu geben.

In der Politik geht es im wesentlichen nicht um das, was Politikwissenschaftler »Entscheidungsfindung« nennen. Selbstverständlich müssen politische Führungskräfte Entscheidungen fällen, und gewiß sollten sie dabei vernünftig und leidenschaftslos vorgehen. Doch selbst das ist nicht so ganz eindeutig: Erinnern wir uns an all die Verbrechen, die von politischen Führern begangen worden sind, die bei sich Gefühle ihrer Sympathie unterdrückten und im Namen einer rein sachlichen Realpolitik handelten. Jedenfalls müssen auch diese politischen Spitzen erst an die Macht kommen, bevor sie überhaupt irgend etwas entscheiden können. Sie müssen eine Anhängerschaft organisieren, eine Partei mit eigenem Profil gründen, ein Programm ausarbeiten, Kampagnen zur breiteren Unterstützung gegen andere Parteien und Programme durchführen und ein öffentliches Amt erringen. Dieser Wettbewerb um die Macht ist die elementarste Form politischen Lebens. Sie läßt sich am besten als Konkurrenz zwischen oder unter organisierten Gruppen begreifen, die sich mehr oder weniger stark ausgeprägt unterscheiden. Ich habe die demokratische Form dieses Wettbewerbs beschrieben, als ich über Parteien und Kampagnen sprach (Yeats hatte anscheinend eine Abneigung dagegen). Die Konkurrenz kann offenkundig unter anderen Voraussetzungen anders aussehen. Der Grundgedanke ist jedoch, daß es ohne Austragung der Gruppenkonflikte überhaupt keine Politik geben würde oder nichts, was in unseren Augen den Namen Politik verdient hätte.

Das entscheidende Urteil, das wir uns bilden müssen, betrifft daher nicht die von uns erwünschte Entscheidung, sondern die Gruppe, der wir uns anschließen wollen, bei der wir bleiben oder die wir verlassen wollen. Das ausschlaggebende Urteil besteht in dem, was der italienische Schriftsteller Ignazio Silone »die Wahl der Gefährten« genannt hat.[17] Wir treffen diese Wahl, wie mir scheint, im Hinblick auf eine Reihe komplexer und kompliziert zusammenhängender Kriterien. Das Wort »Gefährte« ist zwar gegenwärtig aus der Mode, ist aber gleichwohl hilfreich, weil es deutlich macht, daß in der Gruppe starke affektive Bindungen existieren und die Qualität dieser Bindungen somit zu den relevanten Kriterien gezählt werden muß. Wenn sich jemand einer Gruppe von Gefährten anschließt, ist das nicht so, wie wenn man sich der Warteschlange vor einem Kartenverkauf einreiht. Es gleicht auch nicht dem Anschluß an ein bei Jean-Paul Sartre »Serie« genanntes Kollektiv.[18] Es ist nicht einmal so, wie wenn ich den Aufruf zur Unterstützung eines Kandidaten oder einer bestimmten Politik unterschreibe und dazu meine Unterschrift unter eine Liste von Namen setze, die mir größtenteils unbekannt sind. Die Wahl der Gefährten beinhaltet sowohl eine moralische als auch eine materielle Verpflichtung. Meine Verpflichtung wird zweifellos auch von der Tatsache bestimmt, daß ich mit diesen Menschen, denen ich nun meine Solidarität verpfändet habe, Überzeugungen und Interessen teile. Allerdings wird niemand, der in der Politik aktiv engagiert war, glauben, die Idee politischer Verpflichtung erschöpfe sich in rationaler Übereinstimmung oder Interessenkalkülen.

Wenn wir sagen, eine Gruppe dieser Art sei es wert, gewählt

[17] Silone, »Die Wahl der Gefährten«, in: *Notausgang*, üb. von Hanna Dehio, Köln (Kiepenheuer & Witsch) 1967, S. 163 ff.

[18] Zu einer Darstellung, die Sartres Idee der Serialität zugänglicher macht, als Sartres eigene Erläuterung dies vermag, siehe David G. Cooper/Ronald D. Laing, *Vernunft und Gewalt. Drei Kommentare zu Sartres Philosophie 1950–1960*, üb. von Inge Teichmann, Frankfurt am Main (Suhrkamp) 1973, S. 109 ff.

zu werden, wenn wir sie also »gut« heißen, läßt sich diese Aussage stets mit den Begriffen analysieren, die ich gebraucht habe: Erstens meinen wir damit, daß die Überzeugungen, die in ihrem Programm zum Ausdruck kommen, rational verteidigt werden können; zweitens, daß die von ihr vertretenen Interessen verteidigt werden sollten; und drittens, daß ihre Mitglieder solche Gefühle der Sympathie und Zuneigung äußern, die uns ansprechen. Es sind Gefühle, die wir teilen oder die wir gerne mit ihnen teilen würden. Die wirkliche Situation stellt sich allerdings ausnahmslos weniger eindeutig dar. Das Programm der Gruppe ist eine Mischung aus vielen Elementen, von denen einige mehr, andere weniger leicht zu verteidigen sind. Die von ihr vertretenen Interessen geraten sogar noch als »wohlverstandener Eigennutz« mit anderen Interessen in Konflikt, die ebenfalls vertreten werden sollten. Die Gefühle der Mitglieder sind von einer tiefen Verbitterung oder einem Haß auf den politischen Gegner durchsetzt, ein Gefühl, das wir möglicherweise nicht teilen möchten. Wir haben aber das Ganze, nämlich alles in allem, zu beurteilen, und wenn wir das tun, werden wir kaum die Analyse durchführen, die ich soeben vorgeschlagen habe, da sie im Grunde genommen höchst künstlich ist. Sie verfehlt das unvermeidliche Gewirr von Überzeugung und Leidenschaft, das alle unsere Urteile prägt. Eines ist jedenfalls sicher: Wir würden nicht nach Gruppen suchen, deren Mitglieder nur Überzeugungen oder nur Interessen, aber keine Leidenschaften haben. Und zwar deshalb, weil es solche Gruppen nicht gibt.

All das erscheint mir sehr einleuchtend, so einleuchtend, daß ich bei der Arbeit an dieser letzten Vorlesung an vielen Stellen ratlos war, ob ich zum Abschluß irgend etwas würde sagen können, was aufregend neu wäre oder auch nur eine Spur provokativ. Und doch sind die Dichotomien, die irgendeinen Typus von interessengeleiteter oder prinzipiengeleiteter Rationalität in einen Gegensatz zur »leidenschaftlichen Energie« bringen, Licht gegen Hitze setzen, im politischen Denken so allgegenwärtig, daß es vielleicht schon ausreicht, einfach zu behaupten, daß sie nutzlos sind, daß sie in der konkreten Erfahrung des politischen Engagements überhaupt keine Entsprechung finden. Das ist kein Argument gegen vernünftiges Diskutieren. Vielmehr habe ich durchaus versucht, Gründe anzuführen, die dafür sprechen. Aber es ist ein überzeugendes und wichtiges Korrektiv zum liberalen Rationalismus.

Und es gibt noch eine Schlußfolgerung, eine weitere Korrektur, für die ich in meinen Vorlesungen manchmal ausdrücklich eingetreten bin, die ich zuweilen auch nur angedeutet oder stillschweigend vorausgesetzt habe: Keine politische Partei oder Bewegung, die gegen die auf Reichtum und Macht gegründeten, etablierten Hierarchien antritt, wird jemals erfolgreich sein können, wenn sie nicht die parteigängerischen und kämpferischen Leidenschaften der Menschen am unteren Ende der Hierarchien weckt. Die Leidenschaften, die sie damit entfacht, werden sicherlich Neid, Ressentiment und Haß einschließen, da diese die gewöhnlichen Folgen hierarchischer Herrschaft sind. Zugleich sind sie auch die Emotionen erregenden Dämonen des politischen Lebens, die unweigerlich jene Ängste auslösen müssen, die in den Gedichten von Donne und Yeats ausgedrückt sind oder in sie hineingelesen werden. Ängste, von denen ich annehme, daß wir sie alle teilen und mit guten Gründen teilen. Doch zu den Leidenschaften, die von irgendeiner antihierarchischen Politik angestachelt werden, gehören auch die Wut über Ungerechtigkeit und das Solidaritätsgefühl, so daß wir genauso gute Gründe haben, den Ängsten nicht allzu schnell nachzugeben. Vielleicht fallen die Dinge gar nicht auseinander, vielleicht hält das Zentrum doch, und vielleicht wird sich ein neues Zentrum herausbilden. Unterdessen gibt es keine andere Möglichkeit, sich den Parteien und Bewegungen anzuschließen, die für den sozialen Wandel kämpfen, und die »guten« Leidenschaften und Überzeugungen gegen die »schlechten« zu unterstützen, als dies ... leidenschaftlich zu tun.

Danksagung

Zwei dieser Vorlesungen haben schon früher einmal Textgestalt angenommen. Eine Vorform von »Unfreiwillige Assoziation« wurde für den von Amy Gutmann herausgegebenen Band *Freedom of Association*, Princeton 1998, geschrieben. Eine Kurzfassung von »Deliberation ... und was sonst?« wird in einer von Stephen Macedo herausgegebenen Aufsatzsammlung erscheinen, die kritische Beiträge zu Amy Gutmanns und Dennis Thompsons *Democracy and Disagreement* enthält (Oxford University Press).

Ich danke den Veranstaltern und Förderern der Max Horkheimer Vorlesungen und vielen Kritikern und Kommentatoren, die mit mir über die in Frankfurt am Main gehaltenen Vorträge sprachen oder die sich nachträglich in Briefen dazu äußerten. Besonders erwähnen möchte ich Axel Honneth, Iring Fetscher, Matthias Lutz-Bachmann, Lutz Wingert und Ruth Zimmerling. Auch eine Reihe amerikanischer und kanadischer Freunde waren mir eine Hilfe, so Ronald Beiner, Seyla Benhabib, Amy Gutmann, Clifford Orwin und Dennis Thompson.